CÓMO DIBUJAR ANIME

TADASHI OZAWA

1 El diseño
de personajes

NORMA
Editorial

CÓMO DIBUJAR ANIME 1: EL DISEÑO DE PERSONAJES. (Col. Biblioteca Creativa nº 8). Primera edición: Diciembre 2001. Segunda edición: Abril 2003. Tercera edición: Julio 2004. Publicación de NORMA Editorial, Passeig Sant Joan, 7. 08010 Barcelona. Tel.: 93 303 68 20 - Fax: 93 303 68 31. E-mail: norma@normaeditorial.com. How to Draw anime 1: Basics for Beginners and Beyond © 1999 by Tadashi Ozawa. First published in Japan in 1999 by Graphic-sha Publishing Co., Ltd. This Spanish edition was published in Spain in 2001 by NORMA Editorial, S.A. El resto del material así como los derechos por la edición en castellano son © 2004 NORMA Editorial, S.A. Traducción: María Ferrer Simó. Maquetación: Estudio Fénix. ISBN: 84-8431-453-7. Depósito legal: B-42557-2001. Printed in Spain by Índice S.L.

www.NormaEditorial.com.

ÍNDICE

INTRODUCCIÓN 2

Capítulo 1 -- Técnicas básicas

1.1 Dar con los fallos 8

1.2 Puntos importantes 10

1.3 ¿Qué es lo que falla? 12

1.4 La clave de un buen dibujo 16

1.5 Trazar líneas a mano alzada como punto de partida 18

1.6 ¡A dibujar! Pero antes 20

1.7 De carne y hueso 22

1.8 Las proporciones 24

Capítulo 2 -- Diferentes formas de dibujar expresiones

2.1 Piensa en polígonos 28

2.2 Dibujar en serio. rasgos faciales y postura 30

2.3 Las líneas de la frente en distintos personajes 33

2.4 Dibujar caras desde distintos ángulos 34

2.5 Introducción a los distintos tipos de personajes 37

2.6 Expresiones por tipo de personaje y cabeza. 38

Chica tipo A exagerada, 38.- Chico tipo A exagerado, 40.- Chica tipo B exagerado, 42.- Chico tipo B exagerado, 44.-

Chica tipo C exagerada, 46.- Chico tipo C exagerado, 48.- Chica tipo A simple, 50.- Chico tipo A simple, 52.- Chica tipo B simple, 54.-

Chico tipo B simple, 56.- Chica tipo realista: shojo manga, 58.- Chico tipo realista: shojo manga, 60.- Chica tipo realista: videojuego, 62.-

Chico tipo realista: videojuego, 64.- Antiheroína tipo realista: videojuego, 66

Consejos de un joven creador 68

Capítulo 3 – Dibujar el cuerpo

3.1 Dibujar cuerpos 70

3.1 Dibujar el cuerpo con cilindros 72

3.2 Dibujar cilindros desde cualquier ángulo 74

3.3 La dirección del cuerpo 76

3.4 Cuerpos de chica 78

3.5 Cuerpos de chico 79

3.6 Cuerpo por tipo de personaje 80

Chica tipo A exagerada, 80.- Chico tipo A exagerado, 82.- Chica tipo B exagerada, 84.- Chico tipo B exagerado, 86.-

Chica tipo C exagerada, 88.- Chico tipo C exagerado, 90.- Chica tipo A simple, 92.- Chico tipo A simple, 94.-

Chica tipo B simple, 96.- Chico tipo B simple, 98.- Chica tipo manga realista, 100.- Chico tipo manga realista, 102.-

Chica tipo videojuego realista, 104.- Chico tipo videojuego realista, 106.- Antiheroína tipo videojuego realista, 108

Consejos de un joven creador 110

Capítulo 4 – Los detalles

4.1 Los personajes secundarios 112

4.2 Estatura de los personajes secundarios 114

4.3 Los detalles: el pelo 116

4.4 Los detalles: los ojos 119

4.5 Los detalles: los pies 123

4.6 Los detalles: las manos 126

4.7 Los detalles: organizar los personajes y componer la escena 129

4.8 A por el giro de 360 grados 133

Capítulo 5 – La prueba de fuego

5.1 Crítica: ejemplo 1 134

5.2 Crítica: ejemplo 2 136

5.3 Crítica: ejemplo 3 138

5.4 Crítica: ejemplo 4 140

5.5 Crítica: ejemplo 5 142

5.6 Crítica: ejemplo 6 144

5.7 Crítica: ejemplo 7 146

5.8 Crítica: ejemplo 8 148

5.9 Dar con la pose adecuada 150

Glosario 152

INTRODUCCIÓN

Si has comprado este libro es porque en algún momento se te han pasado por la cabeza ideas como: "Voy a probar con el diseño de personajes de dibujos animados y de videojuegos", o "quiero dibujar cómics", o "quiero trabajar como diseñador gráfico". Pero puede que también hayas sentido que no dibujas tan bien como fulanito, ese de la academia que tan bien lo hace, o ese chaval que estudia en una escuela de cómic y que ha editado su propia revista. Hay montones de personas que están deseando lanzarse a este mundillo pero que no se atreven porque les parece muy difícil, y no saben cómo mejorar su estilo y técnica.

Este libro es para esas personas. La gente a la que se le da bien dibujar no nació sabiendo. Vosotros también podéis hacerlo si cambiáis un poco vuestra manera de observar las cosas. Es sorprendente cuánta gente dibuja de memoria; en vez de concentrarse en lo difícil del cuerpo humano hay que empezar por echar un vistazo a los profesionales, para ver de qué manera lo abordan ellos.

Capítulo PRIMERO
TÉCNICAS BÁSICAS

1

Tomemos los puntos A, B y C del esquema siguiente.
Cuando trazas las línea recta A⇕B y la línea curva A⇕C⇕B, ¿adónde miras? ¿Miras al lápiz, al punto C, o al B?

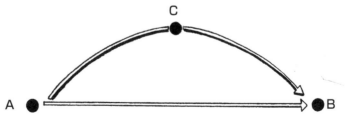

Cuando se hace un dibujo, hay que visualizar la dirección de la línea que se está trazando, y no sólo mirar la punta del lápiz, sino también a los tres puntos: A, B y C. No se puede dibujar una forma correctamente si sólo se mira la punta del lápiz.

A continuación, mira sin fijarte en los 7 puntos del recuadro. ¿Qué ves?
¿Sólo ves puntos sueltos? ¿Puedes discernir alguna forma? No caes, ¿verdad?

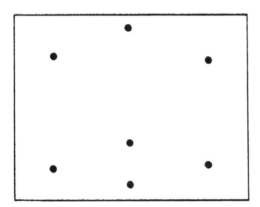
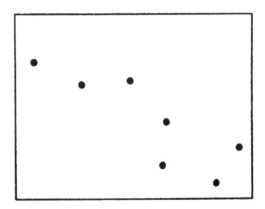

Vamos a numerar los puntos al azar. Sigues sin verlo, ¿no es así?

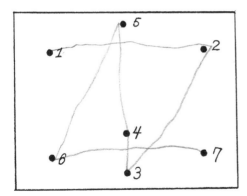
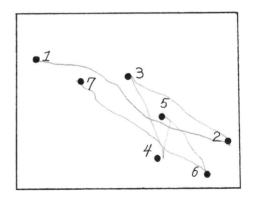

Vamos pues a numerar los puntos otra vez, para darles sentido. Ahora tus ojos seguirán automáticamente el orden establecido. Para dibujar formas hay que saber mirar a los puntos de esta manera.

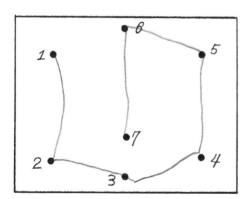
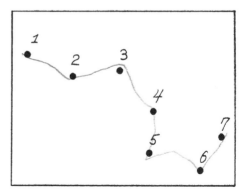

Por último, los puntos se unen. Las líneas describen una forma. Aquellos que ya tienen experiencia pueden ver líneas ocultas en una imagen y trazarlas sin mayor dificultad. La capacidad de dibujar formas depende de la capacidad de visualizar los puntos en el orden correcto.

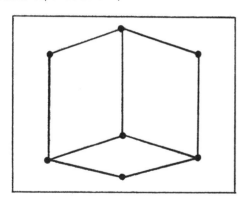
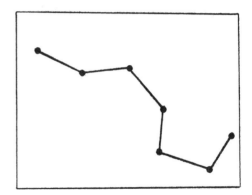

¿Has oído alguna vez la expresión *motion capture* que se utiliza con frecuencia en el mundo de los videojuegos y de los gráficos por ordenador? Es un sistema muy práctico que permite al ordenador leer los movimientos de una persona a través de unos transmisores situados en determinados puntos del cuerpo humano.

Esta función también la tienen los expertos en dibujo. Recordemos el método del trazado de una línea de A a B de la página anterior. El cuerpo entero o una cara se plasman en papel uniendo puntos que están situados en el rabillo del ojo, el puente de la nariz, las articulaciones de los brazos, etc. De este modo se puede hacer un dibujo proporcionado. Si te concentras, tú también puedes detectar esos puntos del rostro y de las extremidades.

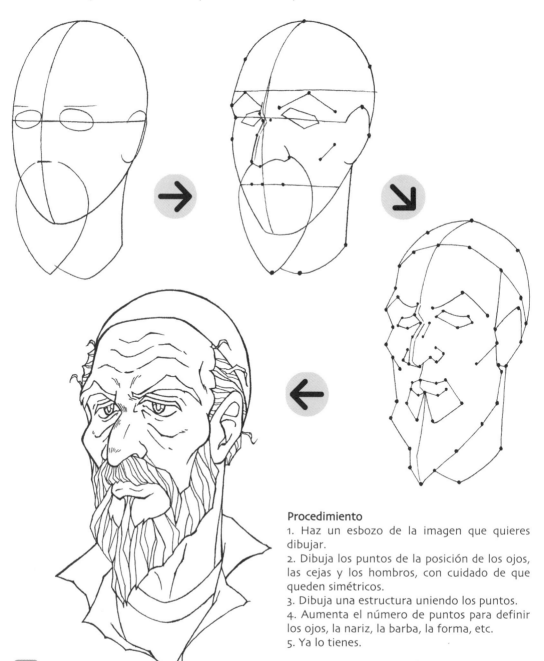

Procedimiento

1. Haz un esbozo de la imagen que quieres dibujar.
2. Dibuja los puntos de la posición de los ojos, las cejas y los hombros, con cuidado de que queden simétricos.
3. Dibuja una estructura uniendo los puntos.
4. Aumenta el número de puntos para definir los ojos, la nariz, la barba, la forma, etc.
5. Ya lo tienes.

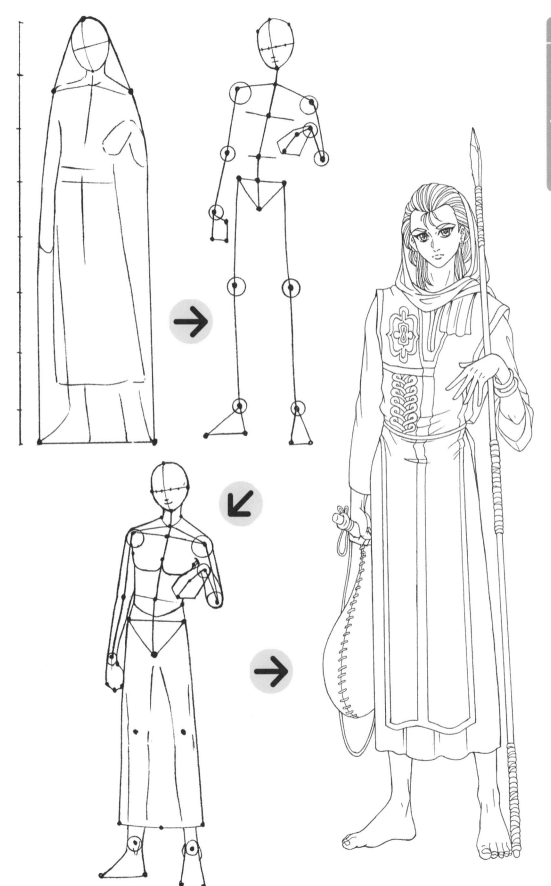

A ver, ¿qué es lo que te falla? Vamos a comparar un dibujo de un aficionado y otro de un profesional. No se trata de ver si el dibujo es bueno o malo. El trabajo de un profesional requiere un gran esfuerzo: fijarse en los detalles más minuciosos, conocer lo que se está dibujando, capacidad de concentración, y trazos suaves. Compara tus dibujos con los que figuran a continuación y cronometra el tiempo que tardas en terminarlos.

Principiante absoluto

Principiante: La perspectiva está bien, pero...

¿Qué le ha pasado al sable? Parece que le falta algo.

Queda mejor dibujar el contorno que cada mechón de pelo.

El cuello está muy atrás.

Los hombros son demasiado pequeños y están muy atrás.

Esta pistola no tiene perspectiva y parece un juguete.

No se entiende el cometido de este cinturón.

La postura de la mano no está lograda.

Aquí no tiene por qué haber pliegues.

Si se dibuja desde la cabeza hacia abajo, hay que determinar la longitud del cuerpo al principio para que no se nos acabe el papel antes de dibujar los pies.

La versión profesional
Hagamos unos cambios porque aún falta algo.

UN PROFESIONAL LO HA REDIBUJADO. ESTÁ TODO A LÁPIZ.

La fase de diseño del personaje

Define el contorno de la cara.

Marca el carácter oscureciendo las pestañas superiores.

Mucho ojo a los detalles.

Marca el ombligo para que quede más sexy.

Imagina la espada en tres dimensiones.

Dibújalo todo en el borrador, incluso lo que esté tapado por el cuerpo.

Dale al personaje una actitud más segura poniéndole la mano en la cadera.

Define la posición de la espada y de la cartuchera de manera que formen una intersección clara.

Dale un aspecto duro. Corta un camal de los vaqueros. Los pantalones cortos no le van a este tipo de personaje.

ESTO HA COSTADO 1 HORA Y 40 MINUTOS.

NOTA

Hay que poner mucha concentración, esfuerzo y gancho en el diseño. No se puede hacer un buen dibujo si no se tiene una imagen en mente (el diseño) de cómo vas a dibujar el personaje. Si se dibuja al azar, se pierde la concentración y la paciencia. Entrarás en un círculo vicioso porque no se te ocurrirán buenos diseños por estar desconcentrado. En resumen, que lo primero es idear un diseño.

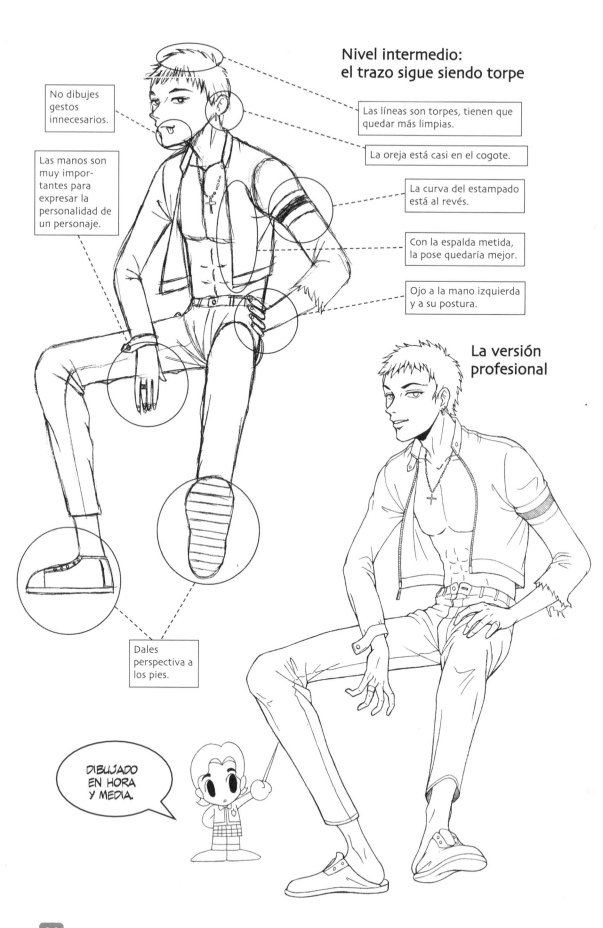

No dibujes gestos innecesarios.

Las manos son muy importantes para expresar la personalidad de un personaje.

Nivel intermedio: el trazo sigue siendo torpe

Las líneas son torpes, tienen que quedar más limpias.

La oreja está casi en el cogote.

La curva del estampado está al revés.

Con la espalda metida, la pose quedaría mejor.

Ojo a la mano izquierda y a su postura.

La versión profesional

Dales perspectiva a los pies.

DIBUJADO EN HORA Y MEDIA.

Nivel intermedio: a primera vista parece que está bien, pero...

Las cejas y los ojos, simétricos.

Queda más suave el pelo ondulado.

Los dedos más finos quedan más femeninos.

La barbilla está un poco torcida.

Cuidado con la postura de la mano. Tendría que estar más a la izquierda para que se viese mejor.

Varía el grosor de los trazos, quedará más tridimensional.

El diseño de accesorios también es importante, pero cuidado con los detalles.

Expresa el peso aplanando la parte que está en contacto con el suelo.

Las piernas son demasiado largas.

Versión profesional

Separa los pies más para darle equilibrio a la postura.

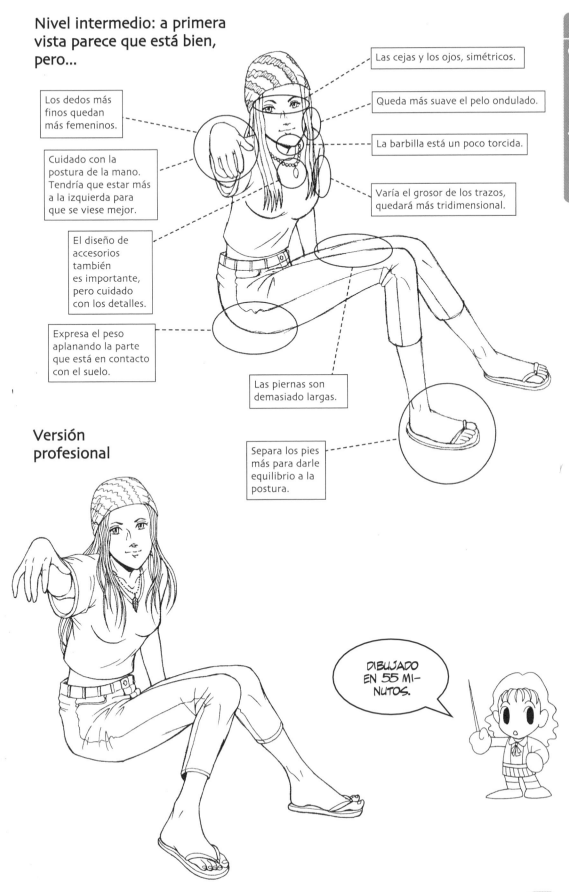

DIBUJADO EN 55 MI-NUTOS.

¿Cuál es la clave de un buen dibujo? ¿El esbozo? ¿Los detalles? ¿El diseño? ¿El tema? ¿La composición? Todo tiene su importancia. Pero **si quieres que los demás aprecien tu trabajo**, tienes que crear un efecto y comunicar tus sentimientos. En otras palabras, tienes que saber comunicarte de modo subliminal con los que miran tu obra.

TEST DE GEOMETRÍA AL CANTO.

Dibuja una caja cuadrada.

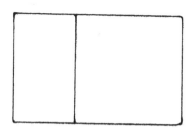

1. Corte frontal   2. Corte diagonal   3. Sombra sobre corte diagonal.

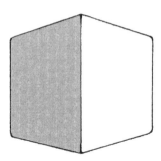

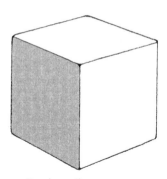

4. En perspectiva   5. Desde arriba   6. Con estampado

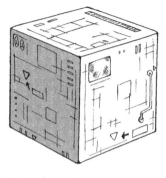

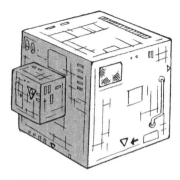

7. Estilo maquinaria   8. Con anexo

En los ejemplos 1-6 se ha añadido nueva información a la caja. Del mismo modo que en los dibujos corregidos de las páginas anteriores, la cantidad de información que contiene un dibujo principiante es menor que en un dibujo de nivel avanzado. Esta idea está ilustrada por la diferencia entre el ejemplo 1 y el 8.

El observador (la persona que pidió el dibujo de la caja cuadrada) sólo espera ver lo que ha pedido, que es una caja cuadrada. Los ejemplos del 6 al 8 **exceden esas expectativas**. Pero no se puede decir que sean errores; son pistas que muestran una interpretación personal.

El factor sorpresa y la adición de información son un recurso inestimable; el dibujo será más interesante. Por supuesto hay que saber esbozar, pero aún más importante es que se nos ocurra un tema ingenioso y una postura y diseño atractivos.

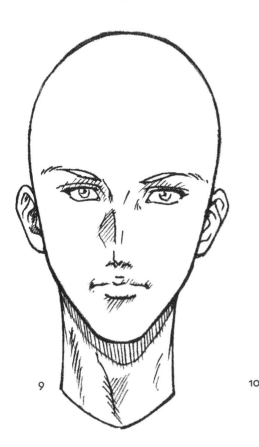

9

10

El personaje del ejemplo 9 y el del 10 son el mismo. Sin embargo son muy diferentes en su diseño y en su personalidad. El lector da por sentado que un personaje manga o de anime es atractivo, **es lo que espera**. Si se le da más fuerza a ese atractivo, **se sorprende al lector sobrepasando sus expectativas**. Está muy bien que te digan que tu dibujo está bien conseguido, pero mejor está que te digan que es genial.

También se puede **dibujar en función de las expectativas del lector**, como en las revistas de aficionados. Por ejemplo, si miramos las cajas de la página anterior, aunque el animador puede dibujar hasta el nivel 8, no lo hace porque los lectores se esperan un dibujo de nivel 6. Del mismo modo, un animador, en vez de dibujar ilustraciones realistas, dibuja con trazos simples y crea los personajes adecuados, como los **super deformed o SD:**, la ridiculización de un personaje mediante la reducción de sus proporciones a tres cabezas.

¿COMO YO?

Dibuja las 8 cajas (cubos) de la página siguiente a mano alzada. Son cajas que se han dibujado sin pensar en la perspectiva ni en el punto de fuga. Si se miran minuciosamente puede que no estén del todo bien, pero dan el pego como formas tridimensionales.

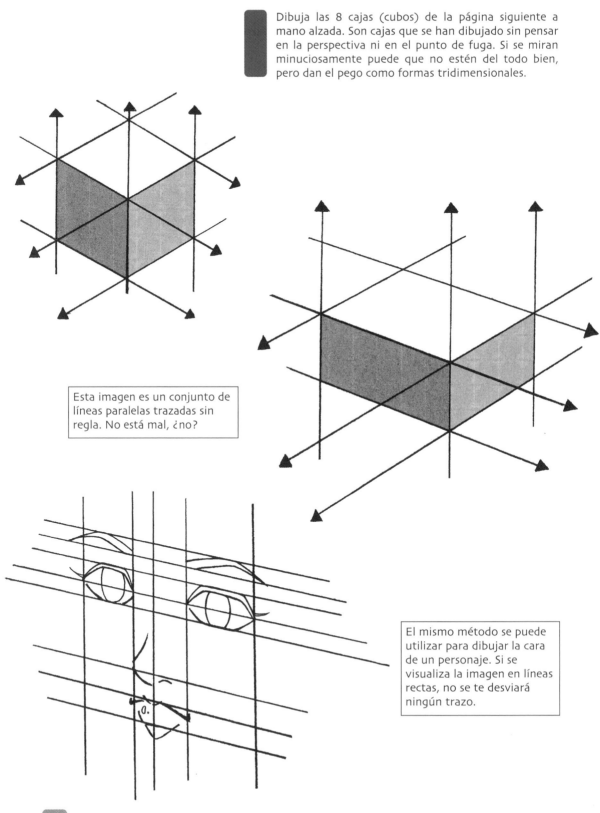

Esta imagen es un conjunto de líneas paralelas trazadas sin regla. No está mal, ¿no?

El mismo método se puede utilizar para dibujar la cara de un personaje. Si se visualiza la imagen en líneas rectas, no se te desviará ningún trazo.

Para empezar, dibuja las cajas

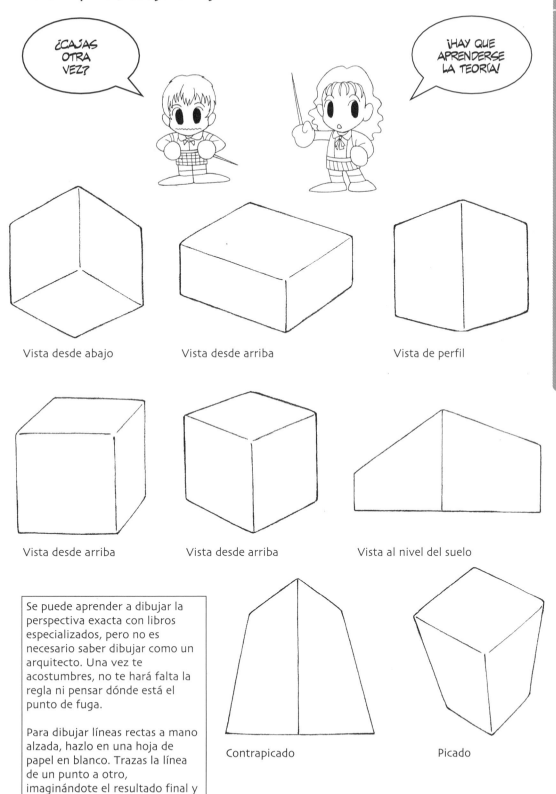

¿CAJAS OTRA VEZ?

¡HAY QUE APRENDERSE LA TEORÍA!

Vista desde abajo

Vista desde arriba

Vista de perfil

Vista desde arriba

Vista desde arriba

Vista al nivel del suelo

Se puede aprender a dibujar la perspectiva exacta con libros especializados, pero no es necesario saber dibujar como un arquitecto. Una vez te acostumbres, no te hará falta la regla ni pensar dónde está el punto de fuga.

Para dibujar líneas rectas a mano alzada, hazlo en una hoja de papel en blanco. Trazas la línea de un punto a otro, imaginándote el resultado final y sin perder de vista la punta del lápiz. Es lo mismo con los esbozos, sólo que a mayor escala.

Contrapicado

Picado

Mucho decir que vas a ponerte a dibujar, pero, ¿sabes ya lo que vas a dibujar?
¿Sostienes bien el lápiz? ¿Vas a dibujar un personaje de rol, de manga o una escena de pelea?
¿O a lo mejor estás pensando en dibujar una ilustración o un poster?. No importa si lo que
dibujas es un garabato. Lo importante es **tener una idea concreta del personaje**, la escena y la
pose. Los buenos dibujos parten de un buen diseño de personaje.

Una vez hayas decidido esto, dibujas el esquema del movimiento para crear una imagen
general. **No te empeñes en dibujar las manos una y otra vez ni te preocupes mucho por si te
caben los pies en la página**. Un buen dibujo parte de una estructura sólida. Es el primer paso
de un **esbozo**.

A continuación tenemos varias poses. Presta especial atención a la **curvatura de la espina dorsal**. El cuerpo humano es muy flexible y la columna vertebral está curvada incluso cuando está derecho.

Se puede percibir la individualidad de un personaje incluso sin detalles como el corte de pelo, los ojos y los pliegues de la ropa. Pero **no sólo hay que decidir la pose**. También hay que dirigir e incorporar más información sobre el personaje en el dibujo. A eso se le llama **información subliminal**.

Los que no confiéis en vuestra capacidad de dibujo echad un vistazo a los esquemas de abajo. Se trata de líneas y círculos, de manera que no son especialmente artísticos. Pero lo cierto es que estos esquemas son el 40% de lo que hace que un dibujo sea bueno.

NO TE LIMITES A OBSERVAR ESTAS FIGURAS. PIENSA EN LAS ESTRUCTURAS DE LOS DIBUJOS DE TUS DIBUJANTES PREFERIDOS Y EN LOS TUYOS PROPIOS.

1-6

¡A dibujar! Pero antes...

Generalmente, se piensa que es difícil conseguir equilibrio en un boceto. Pero no lo es tanto. Piensa en el polígono más simple. Cuando dibujamos, no hace falta que hagamos sólo cuadrados. Pero hay que decidir hacia dónde estará "mirando" cada parte del cuerpo. Con este primer paso ya vas bien encaminado.

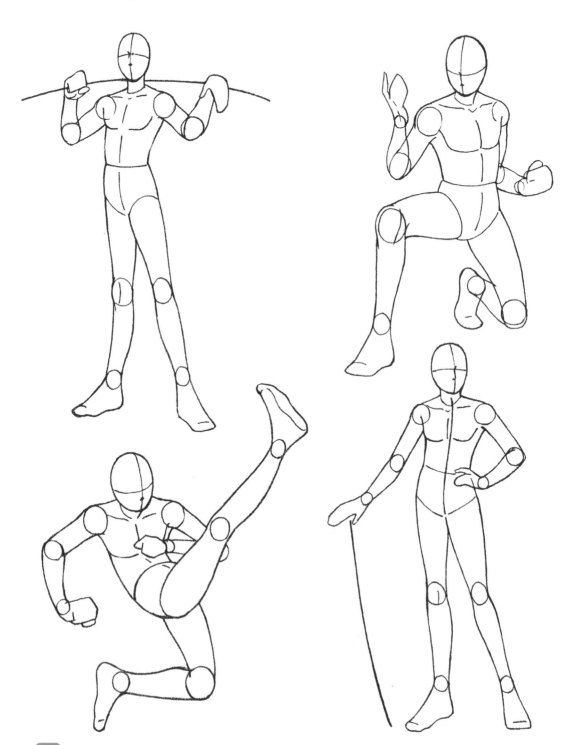

El truco de los cubos te ayudará a dibujar personajes.

¿Cuál de los seis tipos de personaje te atrae más?

¿El tipo OVA (Original Video Anime) o el tipo manga? ¿El tipo ilustración? A lo mejor has intentado alguna vez copiar el estilo de tu dibujante o animador preferido pero no te ha quedado igual.

Los personajes que has dibujado hasta ahora tienen proporciones corporales diferentes y un diseño que no es el de los personajes que te gustan. No hay que hacer un análisis detallado de las proporciones de cada dibujo. Basta con saber qué tipo de personaje se quiere crear.

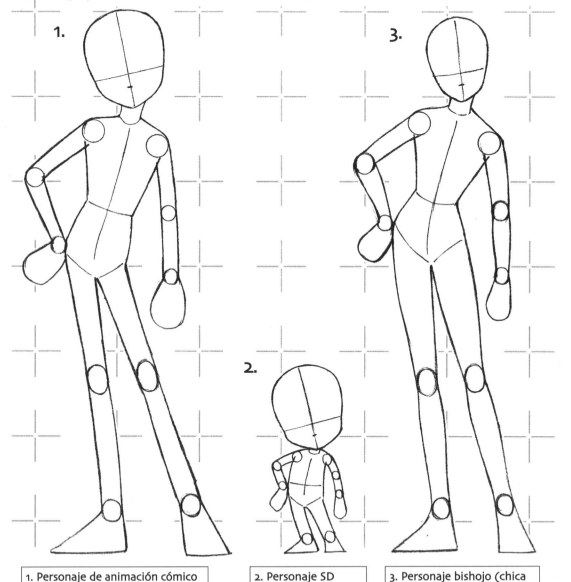

1.   **3.**

2.

1. Personaje de animación cómico
La cabeza, las manos y los pies son grandes. Las articulaciones y los músculos no están muy definidos. Los brazos y las piernas son pequeños comparados con la cabeza.

2. Personaje SD
Pequeño y cabezón. No es especialmente cómico o "mono".

3. Personaje bishojo (chica joven y guapa)
La cintura es muy estrecha y los contornos del cuerpo son sutiles. Las articulaciones y los músculos están definidos.

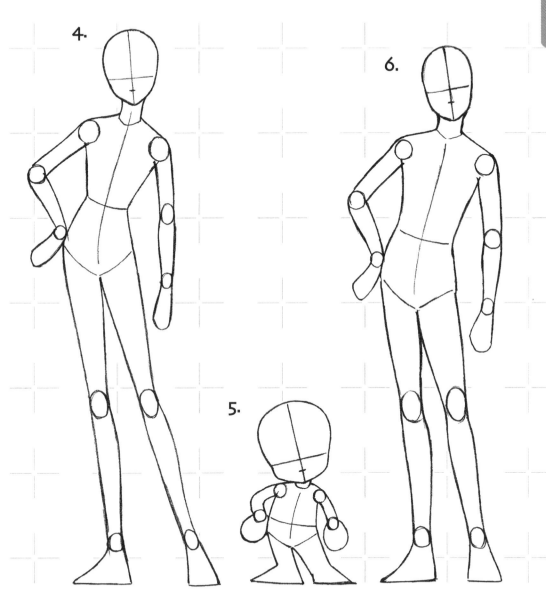

4. Personaje shojo manga (cómics de chicas)
Muy delgado con las piernas largas. Las chicas tienen el contorno del cuerpo definido pero la cabeza es pequeña. Los chicos se dibujan casi igual, sólo que los hombros son más anchos.

5. Personaje SD cómico
A diferencia del SD de la página anterior, este estilo es más divertido: tiene las manos, los pies y las piernas rechonchos, pero los brazos delgados.

6. Estilo normal
La longitud del torso y de las piernas es la misma. Las chicas no tiene la cintura exageradamente estrecha.

El dibujo de personajes no sólo depende de las proporciones, sino que varía con el tema: el personaje será muy diferente si se trata de manga, de ilustración, etc. Compara los siguientes dibujos del mismo personaje y fíjate en los ojos y las manos. Algunos rasgos se han dibujado con detalle y otros se han omitido.

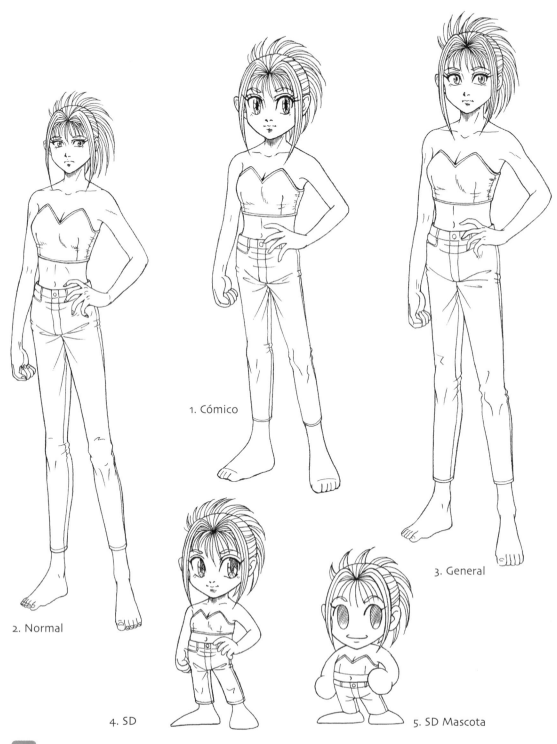

1. Cómico

2. Normal

3. General

4. SD

5. SD Mascota

Capítulo SEGUNDO
DIFERENTES FORMAS DE DIBUJAR EXPRESIONES

¡YA ENTRAMOS EN MATERIA!

¿Alguna vez has mirado un dibujo al trasluz?

Si lo haces detectarás fácilmente las distorsiones de un esbozo, especialmente en los dibujos que están de frente. Se hacen distorsiones cuando se fija uno demasiado en las líneas y se olvida de pensar en 3D. ¿Qué se puede hacer para remediarlo? La respuesta es pensar en polígonos. El siguiente dibujo, muy común en videojuegos, es como una escultura. No hace falta que lo dibujes. Lo importante es que adquieras el sentido de lo abstracto. Si tus dibujos tienen ese sentido, tendrán el poder de conmover a la gente. Recuerda las cajas del capítulo 1. Son los polígonos más simples. Ahora vamos a ver cómo se puede construir un cuerpo con polígonos.

El dibujo acabado: versión profesional

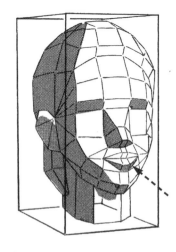

Ésta es la primera fase. Cuidado con la boca. Abajo los labios sobresalen pero no están curvados, de modo que parece que estén pegados a la estructura.

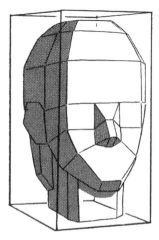

El polígono simplificado tiene este aspecto.

Algo no funciona en este dibujo.

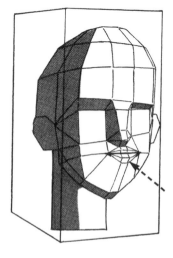

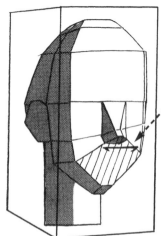

El fallo está en la primera etapa. Fíjate en los ojos. Primero, mira su tamaño. El izquierdo y el derecho son diferentes. Después, fíjate en su posición. Los ojos están desplazados y ésa es la razón principal por la que un dibujo queda raro. La altura de los ojos no es natural porque no están paralelos a la inclinación de la cara (contorno de la cabeza). Aunque no hubiera curva daría lo mismo. Fíjate en el siguiente dibujo acabado.

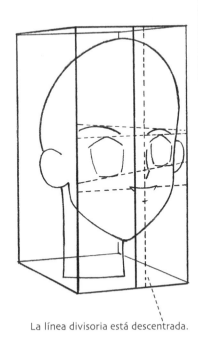

La línea divisoria está descentrada.

Los ojos están a distinta altura. Las líneas horizontales de la cara tienen inclinaciones completamente distintas.

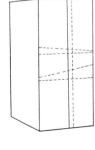

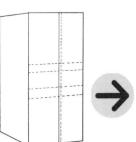  

Las líneas de la altura de los ojos deberían ser paralelas. Las líneas de la cara deberían cortar la línea divisioria vertical en ángulo recto.

NOTA

Lo mismo ocurre con los personajes exagerados de anime. Si ya dibujas caras como si fueran cubos sin tener que pararte a pensarlo, puedes decir que has mejorado bastante.

Tal y como se explicaba en la página anterior, lo más importante es que dibujes la línea divisoria. Es la primera que se traza y la que decide la posición y la dirección. Los rasgos faciales, los ojos y el pelo son muy divertidos de dibujar, pero lo que marca el diseño del personaje son las líneas divisiorias.

Personaje normal

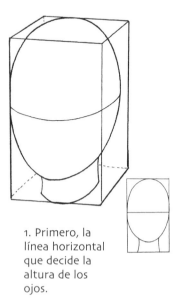

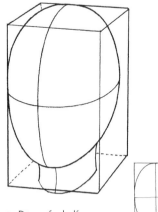

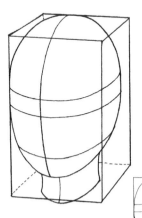

1. Primero, la línea horizontal que decide la altura de los ojos.

2. Después, la línea vertical que recorre toda la cara. Marca el puente de la nariz.

3. A continuación, las líneas horizontales que marcan la posición de la boca y de las cejas. La distancia entre estas dos líneas determina el tamaño de los ojos. Para que los ojos sean grandes, como los del personaje de la página de al lado, hay que dibujar las líneas bien separadas.

Personaje deformado

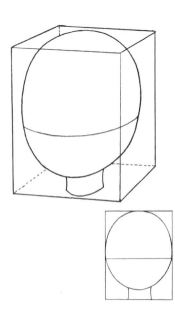

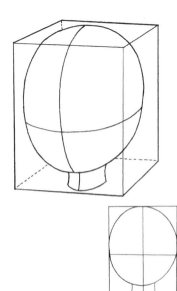

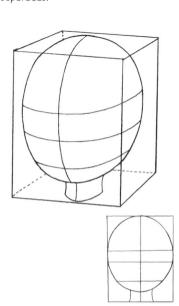

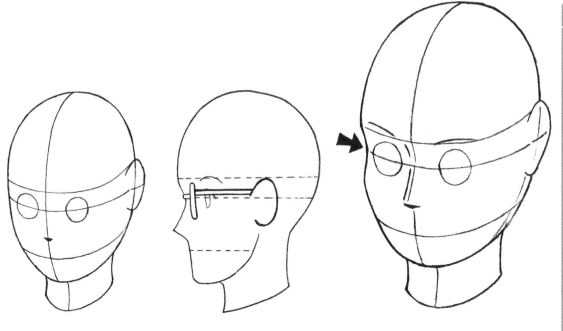

4. El punto de las aletas de la nariz corta la línea vertical central del puente de la nariz. Los ojos se dibujan en la perpendicular y el tamaño apenas se esboza. Cuanto más se rebaje la altura de los ojos, más infantil parecerá el rostro.

5. Por encima de la línea de los ojos se dibuja otra línea para tantear el tamaño de las orejas. Normalmente el rabillo de ojo está a la misma altura del nacimiento de la oreja, que tendrá de alto aproximadamente lo que la montura de unas gafas. Pero a medida que se vaya dominando este punto, se pueden variar las posiciones para exagerar más o menos los personajes.

6. El perfil entre la línea de las cejas y la de los ojos es cóncavo. Marca la cuenca de los ojos. Aquí se suelen cometer errores. Incluso los dibujantes avanzados dibujan a veces el punte de la nariz a partir de la línea de los ojos. Mírate el puente de la nariz en un espejo. Fíjate en que empieza entre las cejas, luego se mete un poco y luego sobresale.

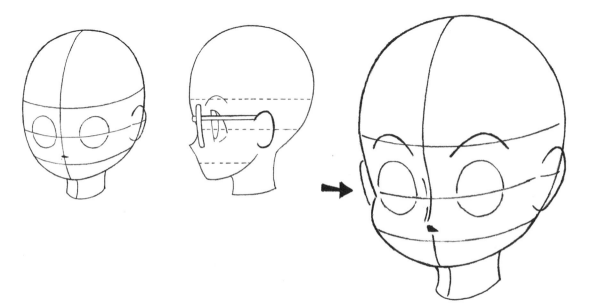

Hay que asegurarse de que este ancho sea el correcto.

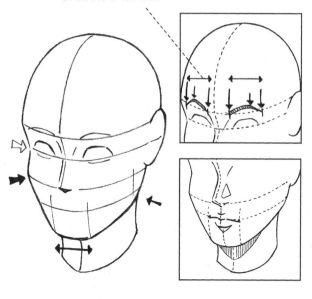

Listo

7. Se marca la anchura de los labios en la horizontal que define la boca. Mucha atención a las cejas, porque es fácil que salgan desiguales. Lo mismo ocurre con los labios. Si están torcidos, hasta la sonrisa quedará rara. La barbilla se va estrechando. Los personajes tipo normal tienen la barbilla más ancha, y los exagerados, puntiaguda. Atención a la mandíbula en los personajes normales.

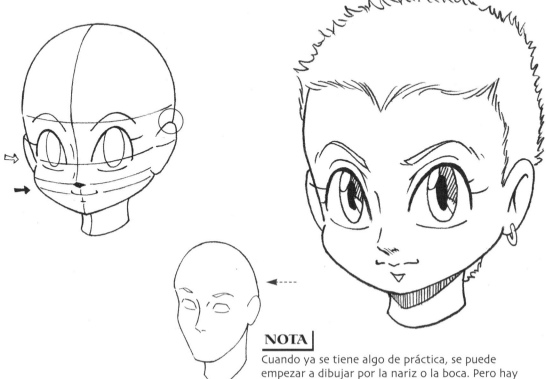

NOTA

Cuando ya se tiene algo de práctica, se puede empezar a dibujar por la nariz o la boca. Pero hay que procurar que no quede como el dibujo de la izquierda. Está distorsionado porque la cabeza es demasiado pequeña.

Tipo exagerado

Tipo sencillo

Tipo normal

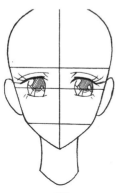

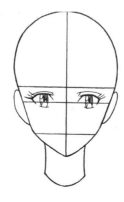

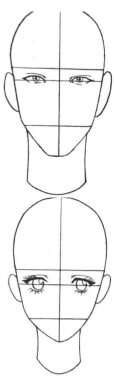

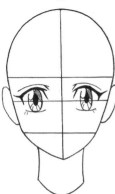

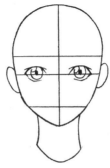

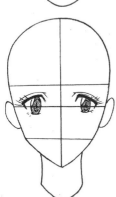

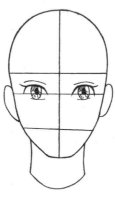

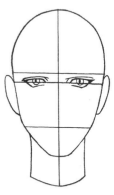

NO TE DEJES ENGA-ÑAR POR EL PELO.

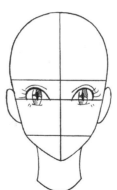

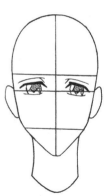

En una historia real, es necesario saber dibujar las caras no sólo de perfil, sino en todo tipo de posturas y ángulos. Las vistas siguientes están dibujadas con la línea central.
A continuación tenemos un conjunto básico de posturas para los personajes que aparecen en este libro. Cuando consigas dibujarlas, estarás preparado para crear tu propio estilo.

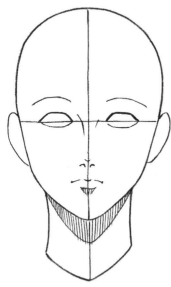

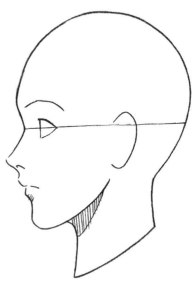

Básico 1 (frontal): nivel de dificultad 1

Esta postura es la que más delata la asimetría. La anchura de las dos partes que divide la línea vertical tiene que ser idéntica.

Básico 2 (perfil): nivel de dificultad 1

El truco es separar la base de la nariz del globo ocular más de lo que en un principio se suele pensar. Atención a la altura de la nariz entre los ojos. El labio inferior sobresale menos que el superior.

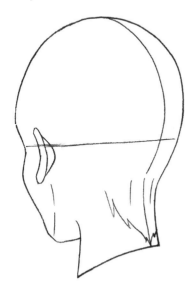

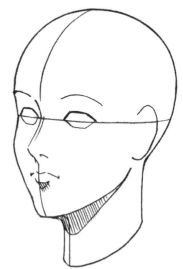

Oblicuo posterior: nivel de dificultad 3

No olvides el grosor de las orejas. La línea horizontal de los ojos tiene que seguir siendo recta.

Oblicuo izquierda: nivel de dificultad 2

Este plano suele salir bien porque la perspectiva es más fácil de reproducir. Atención al tamaño de los ojos.

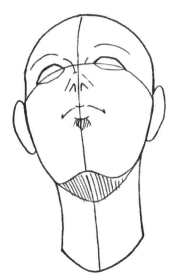

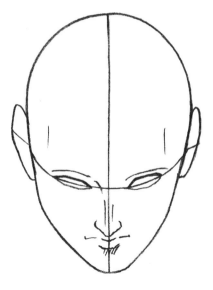

Desde abajo: nivel de dificultad 5

Presta atención a la línea que parte de la barbilla y va hacia los ojos. La posición de los orificios de la nariz es más alta de lo que se piensa.

Desde arriba: nivel de dificultad 5

La punta de la nariz y la boca casi se superponen. El ángulo de las cejas varía la inclinación de la cabeza. En las siguientes páginas se estudia detalladamente esta posición.

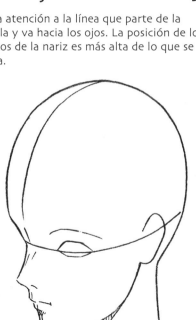

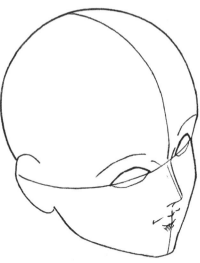

Oblicuo izquierda y derecha + visto desde arriba: nivel de dificultad 3

Atención al tamaño de la cabeza. Se tiende a dibujar las orejas y la nariz demasiado juntas. Si la cabeza no es lo suficientemente gruesa, el dibujo estará descompensado.

LA ESCALA DE DIFICULTAD ES DE 1 A 5.

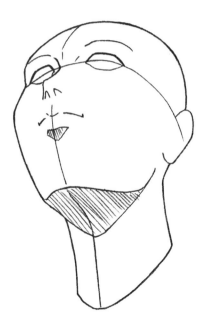

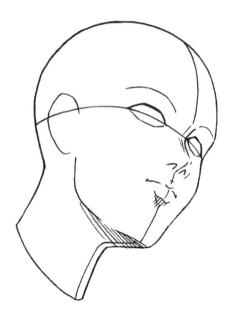

Oblicuo izquierda + visto desde abajo: nivel de dificultad 5

Cuando domines este plano, podrás mejorar consi-
derablemente la variación de tus dibujos. Este
ángulo se debe practicar porque se utiliza con
frecuencia. Las líneas de los ojos y de la cabeza
deben ser paralelas para que los ojos no queden
caídos. La línea del pelo varía en función de cada
personaje.

Oblicuo derecha + visto desde abajo: nivel de dificultad 4

La inclinación de los ojos es difícil de
conseguir. La barbilla y la frente deben
estar paralelas. También las cejas y los
ojos.

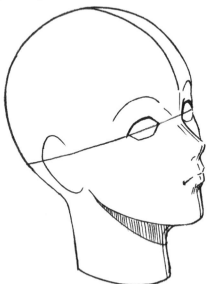

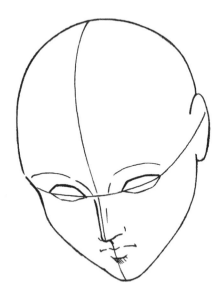

Oblicuo derecha: nivel de dificultad 4

Este ángulo sale en las pruebas de acceso a los
estudios de animación. Es muy importante la
manera en que están dibujados los rasgos del
otro lado de la nariz (las mejillas, ojos, pestañas
y cejas). Es una buena prueba del dominio de la
técnica. Atención a la distancia entre los ojos y
las orejas.

Desde arriba: nivel de dificultad 2

Se trata de un ángulo, y por lo tanto no es
exactamente un plano picado. No obstante,
la nariz y la boca están muy cerca. Los
diestros suelen tener problemas para dibujar
correctamente esta postura.

¿QUÉ CLASE DE PERSONAJE QUIERES DIBUJAR? LAS SIGUIENTES PÁGINAS PRESENTAN UNA INTRODUCCIÓN A LOS ESTILOS DE CADA TIPO DE PERSONAJE.

Expresiones por tipo de personaje y cabeza - Chica tipo A exagerada

Este personaje es una **mezcla entre** los estilos *takarazuka* (**compañía teatral constituida exclusivamente por mujeres japonesas**) y *gakuen* o colegial. Sus rasgos distintivos son el **pelo y los ojos exagerados**. Dominadas estas dos características, el resto no debería suponer ningún problema para este tipo de personaje. Ojo a los brillos de pelo, a los labios marcados y a los ojos brillantes.

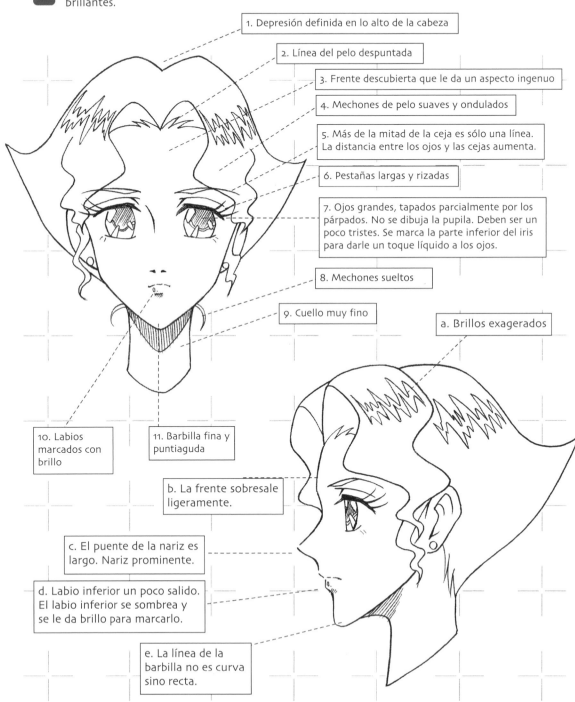

1. Depresión definida en lo alto de la cabeza

2. Línea del pelo despuntada

3. Frente descubierta que le da un aspecto ingenuo

4. Mechones de pelo suaves y ondulados

5. Más de la mitad de la ceja es sólo una línea. La distancia entre los ojos y las cejas aumenta.

6. Pestañas largas y rizadas

7. Ojos grandes, tapados parcialmente por los párpados. No se dibuja la pupila. Deben ser un poco tristes. Se marca la parte inferior del iris para darle un toque líquido a los ojos.

8. Mechones sueltos

9. Cuello muy fino

a. Brillos exagerados

10. Labios marcados con brillo

11. Barbilla fina y puntiaguda

b. La frente sobresale ligeramente.

c. El puente de la nariz es largo. Nariz prominente.

d. Labio inferior un poco salido. El labio inferior se sombrea y se le da brillo para marcarlo.

e. La línea de la barbilla no es curva sino recta.

Expresiones por tipo de personaje y cabeza - Chico tipo A exagerado

Su personalidad difiere en función de la historia. **Es un poco hortera y se las da de guay,** pero suele tener papeles cómicos. Prueba de ello son los **ojos tristones.** Siempre se lleva algo entre manos, pero le suele salir el tiro por la culata. Es el tipo de personaje al que no se puede ayudar, pero que cae bien.

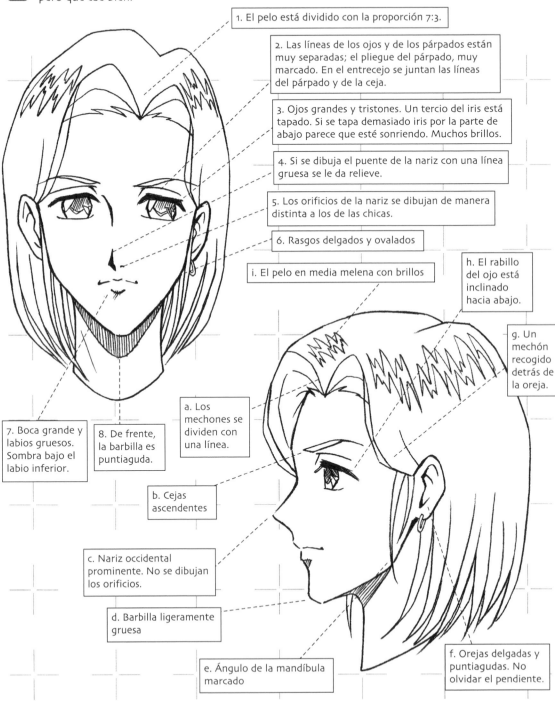

1. El pelo está dividido con la proporción 7:3.

2. Las líneas de los ojos y de los párpados están muy separadas; el pliegue del párpado, muy marcado. En el entrecejo se juntan las líneas del párpado y de la ceja.

3. Ojos grandes y tristones. Un tercio del iris está tapado. Si se tapa demasiado iris por la parte de abajo parece que esté sonriendo. Muchos brillos.

4. Si se dibuja el puente de la nariz con una línea gruesa se le da relieve.

5. Los orificios de la nariz se dibujan de manera distinta a los de las chicas.

6. Rasgos delgados y ovalados

i. El pelo en media melena con brillos

h. El rabillo del ojo está inclinado hacia abajo.

g. Un mechón recogido detrás de la oreja.

a. Los mechones se dividen con una línea.

7. Boca grande y labios gruesos. Sombra bajo el labio inferior.

8. De frente, la barbilla es puntiaguda.

b. Cejas ascendentes

c. Nariz occidental prominente. No se dibujan los orificios.

d. Barbilla ligeramente gruesa

e. Ángulo de la mandíbula marcado

f. Orejas delgadas y puntiagudas. No olvidar el pendiente.

Es simpática y suele salir sonriente. Los ojos un poco caídos expresan un carácter afable y alegre. El pelo es exagerado porque es un personaje del género fantástico. No te pares a pensar por qué tiene ese estilo de pelo. Simplemente acéptalo como rasgo distintivo.

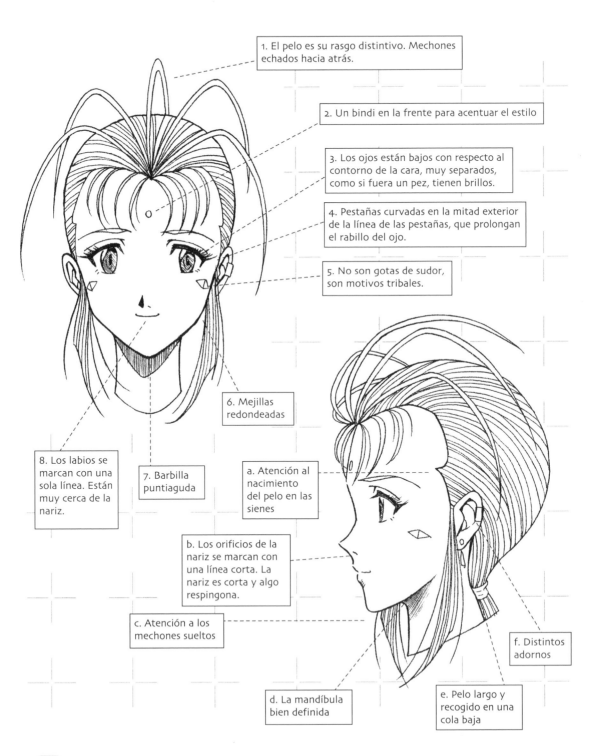

1. El pelo es su rasgo distintivo. Mechones echados hacia atrás.

2. Un bindi en la frente para acentuar el estilo

3. Los ojos están bajos con respecto al contorno de la cara, muy separados, como si fuera un pez, tienen brillos.

4. Pestañas curvadas en la mitad exterior de la línea de las pestañas, que prolongan el rabillo del ojo.

5. No son gotas de sudor, son motivos tribales.

6. Mejillas redondeadas

7. Barbilla puntiaguda

8. Los labios se marcan con una sola línea. Están muy cerca de la nariz.

a. Atención al nacimiento del pelo en las sienes

b. Los orificios de la nariz se marcan con una línea corta. La nariz es corta y algo respingona.

c. Atención a los mechones sueltos

d. La mandíbula bien definida

e. Pelo largo y recogido en una cola baja

f. Distintos adornos

Es simpático y suele salir sonriente. Los ojos un poco caídos expresan un carácter afable y alegre. El pelo es exagerado porque es un personaje del género fantástico. No te pares a pensar por qué tiene ese estilo de pelo. Simplemente acéptalo como rasgo distintivo.

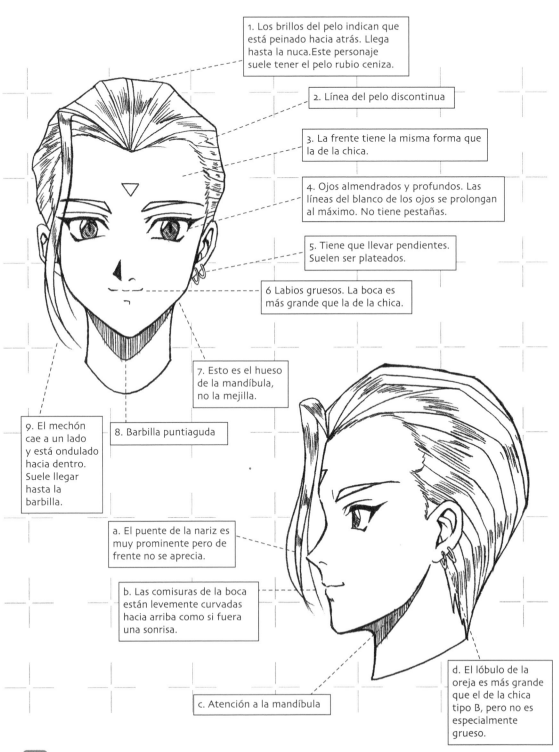

1. Los brillos del pelo indican que está peinado hacia atrás. Llega hasta la nuca.Este personaje suele tener el pelo rubio ceniza.

2. Línea del pelo discontinua

3. La frente tiene la misma forma que la de la chica.

4. Ojos almendrados y profundos. Las líneas del blanco de los ojos se prolongan al máximo. No tiene pestañas.

5. Tiene que llevar pendientes. Suelen ser plateados.

6 Labios gruesos. La boca es más grande que la de la chica.

7. Esto es el hueso de la mandíbula, no la mejilla.

9. El mechón cae a un lado y está ondulado hacia dentro. Suele llegar hasta la barbilla.

8. Barbilla puntiaguda

a. El puente de la nariz es muy prominente pero de frente no se aprecia.

b. Las comisuras de la boca están levemente curvadas hacia arriba como si fuera una sonrisa.

c. Atención a la mandíbula

d. El lóbulo de la oreja es más grande que el de la chica tipo B, pero no es especialmente grueso.

Se trata de una chica vital y llena de energía. Suele hacer papeles como el de amiga de la infancia del protagonista. Es valiente y nunca se rinde. Tiene los ojos muy exagerados. Hay que prestar atención al tamaño y a la altura de los ojos, especialmente de frente.

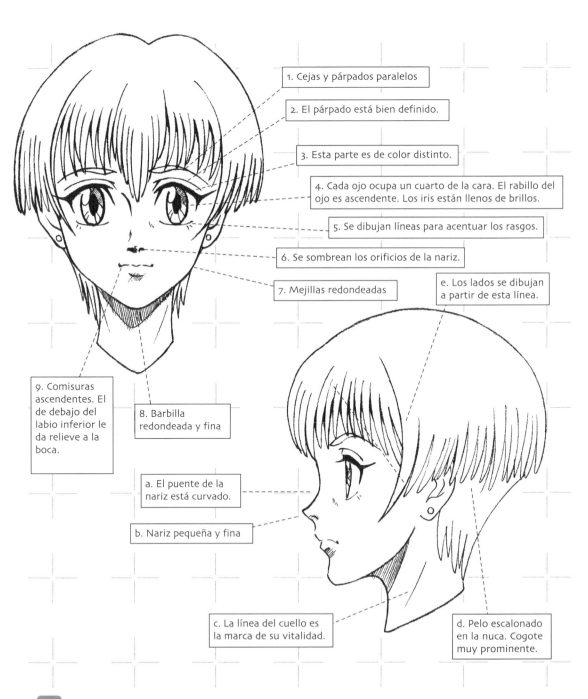

1. Cejas y párpados paralelos

2. El párpado está bien definido.

3. Esta parte es de color distinto.

4. Cada ojo ocupa un cuarto de la cara. El rabillo del ojo es ascendente. Los iris están llenos de brillos.

5. Se dibujan líneas para acentuar los rasgos.

6. Se sombrean los orificios de la nariz.

7. Mejillas redondeadas

e. Los lados se dibujan a partir de esta línea.

9. Comisuras ascendentes. El de debajo del labio inferior le da relieve a la boca.

8. Barbilla redondeada y fina

a. El puente de la nariz está curvado.

b. Nariz pequeña y fina

c. La línea del cuello es la marca de su vitalidad.

d. Pelo escalonado en la nuca. Cogote muy prominente.

De todos los personajes que vamos a ver, éste es el que tiene la cara más redonda. Al igual que la chica, es vital y alegre, lleno de energía, y eso se expresa con la boca curvada hacia arriba y los ojos brillantes. Es el típico travieso.

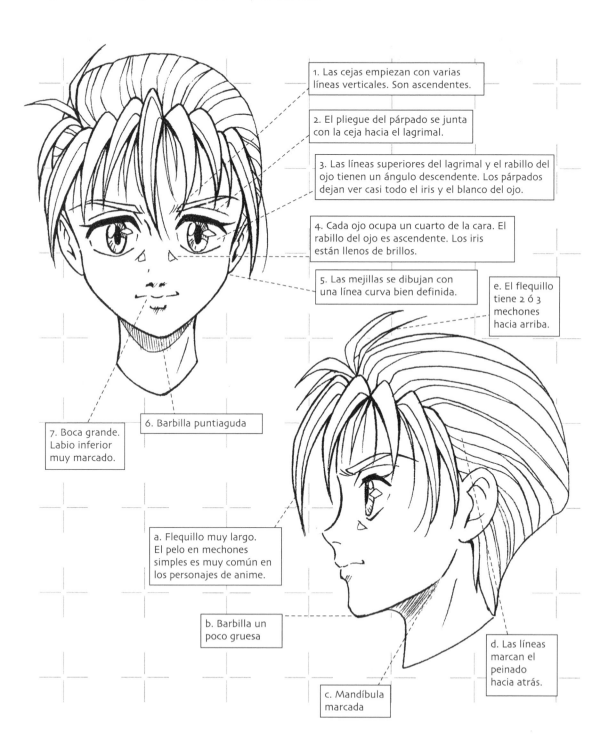

1. Las cejas empiezan con varias líneas verticales. Son ascendentes.

2. El pliegue del párpado se junta con la ceja hacia el lagrimal.

3. Las líneas superiores del lagrimal y el rabillo del ojo tienen un ángulo descendente. Los párpados dejan ver casi todo el iris y el blanco del ojo.

4. Cada ojo ocupa un cuarto de la cara. El rabillo del ojo es ascendente. Los iris están llenos de brillos.

5. Las mejillas se dibujan con una línea curva bien definida.

e. El flequillo tiene 2 ó 3 mechones hacia arriba.

7. Boca grande. Labio inferior muy marcado.

6. Barbilla puntiaguda

a. Flequillo muy largo. El pelo en mechones simples es muy común en los personajes de anime.

b. Barbilla un poco gruesa

d. Las líneas marcan el peinado hacia atrás.

c. Mandíbula marcada

Andrógina y llena de energía. Líder de grupo, alegre y diplomática. Se dibuja con líneas limpias y variadas. Suele llevar accesorios relacionados con el argumento de la historia más que para decorar. Las líneas de los párpados superiores, las cejas y la barbilla se remarcan con curvas gruesas y fuertes para expresar su vivacidad. La feminidad se expresa de forma natural mediante un cuello fino y una barbilla delgada, evitando marcar el hueso de la mandíbula o las líneas de debajo de los ojos.

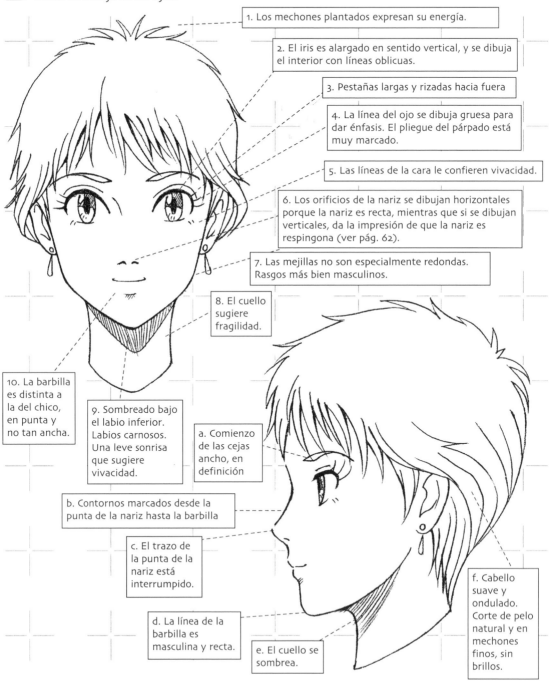

1. Los mechones plantados expresan su energía.

2. El iris es alargado en sentido vertical, y se dibuja el interior con líneas oblicuas.

3. Pestañas largas y rizadas hacia fuera

4. La línea del ojo se dibuja gruesa para dar énfasis. El pliegue del párpado está muy marcado.

5. Las líneas de la cara le confieren vivacidad.

6. Los orificios de la nariz se dibujan horizontales porque la nariz es recta, mientras que si se dibujan verticales, da la impresión de que la nariz es respingona (ver pág. 62).

7. Las mejillas no son especialmente redondas. Rasgos más bien masculinos.

8. El cuello sugiere fragilidad.

10. La barbilla es distinta a la del chico, en punta y no tan ancha.

9. Sombreado bajo el labio inferior. Labios carnosos. Una leve sonrisa que sugiere vivacidad.

a. Comienzo de las cejas ancho, en definición

b. Contornos marcados desde la punta de la nariz hasta la barbilla

c. El trazo de la punta de la nariz está interrumpido.

d. La línea de la barbilla es masculina y recta.

e. El cuello se sombrea.

f. Cabello suave y ondulado. Corte de pelo natural y en mechones finos, sin brillos.

Es el polo opuesto de los anteriores *bishonen* o chicos guapos. Es alegre, despierto, valiente y duro. De ojos brillantes y labios apretados que acentúan el aspecto juvenil. Los iris grandes y su contorno bien marcado indican positividad y confianza en los demás. Atención a los detalles que lo diferencian del personaje de la página 54, que tambien es un tipo exagerado del género de la animación. Éste es el personaje más sencillo, pero es posible que no resulte tan fácil conseguir su expresión.

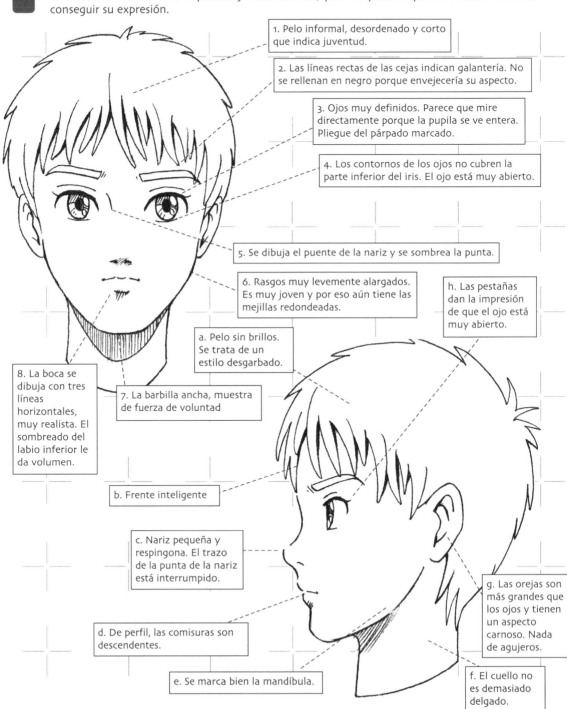

1. Pelo informal, desordenado y corto que indica juventud.

2. Las líneas rectas de las cejas indican galantería. No se rellenan en negro porque envejecería su aspecto.

3. Ojos muy definidos. Parece que mire directamente porque la pupila se ve entera. Pliegue del párpado marcado.

4. Los contornos de los ojos no cubren la parte inferior del iris. El ojo está muy abierto.

5. Se dibuja el puente de la nariz y se sombrea la punta.

6. Rasgos muy levemente alargados. Es muy joven y por eso aún tiene las mejillas redondeadas.

h. Las pestañas dan la impresión de que el ojo está muy abierto.

a. Pelo sin brillos. Se trata de un estilo desgarbado.

8. La boca se dibuja con tres líneas horizontales, muy realista. El sombreado del labio inferior le da volumen.

7. La barbilla ancha, muestra de fuerza de voluntad

b. Frente inteligente

c. Nariz pequeña y respingona. El trazo de la punta de la nariz está interrumpido.

g. Las orejas son más grandes que los ojos y tienen un aspecto carnoso. Nada de agujeros.

d. De perfil, las comisuras son descendentes.

e. Se marca bien la mandíbula.

f. El cuello no es demasiado delgado.

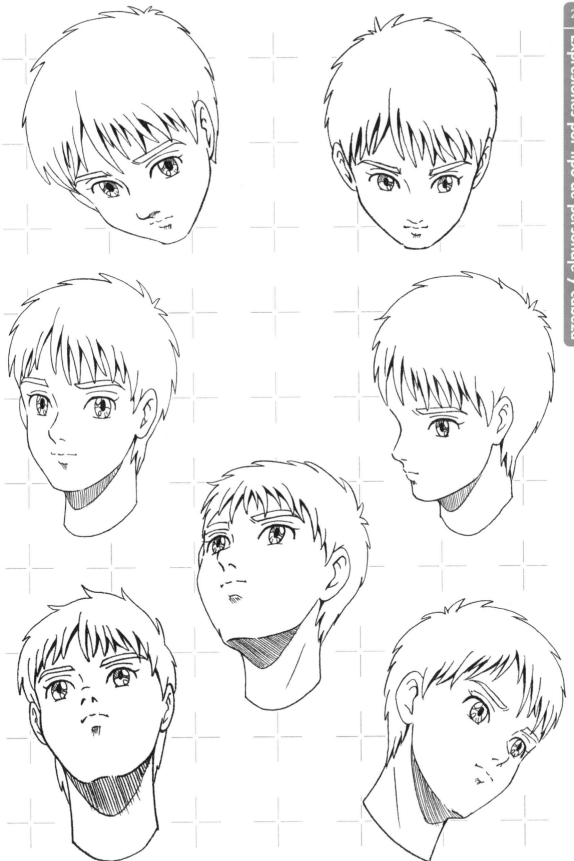

Expresiones por tipo de personaje y cabeza - Chica tipo B simple

Es una chica tranquila que no dice gran cosa, de modo que no se sabe muy bien lo que está pensando. Es de constitución frágil y, excepto los ojos, todo se dibuja delgado y pequeño. Es educada y obediente. No es muy expresiva ni comunicativa. Su hermetismo se aprecia en las cejas descendentes y en un iris estrecho, de un color vago. Los ojos están un poco cerrados y las orejas no se ven del todo.

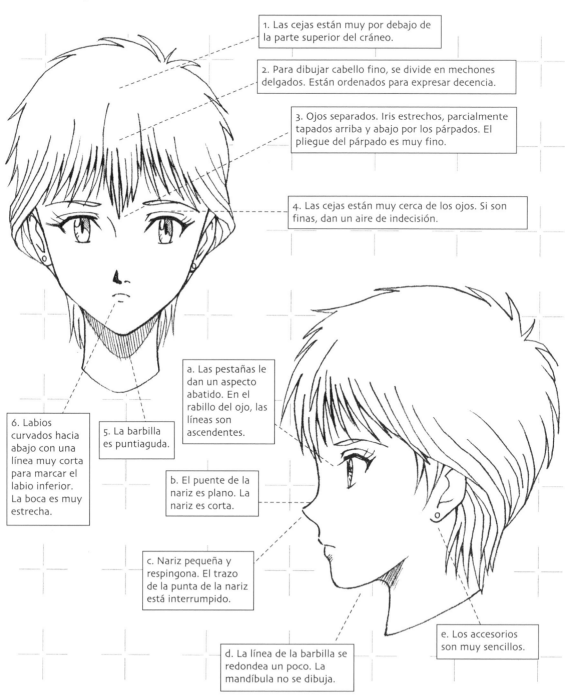

1. Las cejas están muy por debajo de la parte superior del cráneo.

2. Para dibujar cabello fino, se divide en mechones delgados. Están ordenados para expresar decencia.

3. Ojos separados. Iris estrechos, parcialmente tapados arriba y abajo por los párpados. El pliegue del párpado es muy fino.

4. Las cejas están muy cerca de los ojos. Si son finas, dan un aire de indecisión.

a. Las pestañas le dan un aspecto abatido. En el rabillo del ojo, las líneas son ascendentes.

6. Labios curvados hacia abajo con una línea muy corta para marcar el labio inferior. La boca es muy estrecha.

5. La barbilla es puntiaguda.

b. El puente de la nariz es plano. La nariz es corta.

c. Nariz pequeña y respingona. El trazo de la punta de la nariz está interrumpido.

d. La línea de la barbilla se redondea un poco. La mandíbula no se dibuja.

e. Los accesorios son muy sencillos.

Un chico tranquilo, delicado y un poco femenino. Como la chica, es introvertido, hermético y retraído. Se le suele dar un aire solitario porque siempre está preocupado por algo. Su naturaleza delicada se plasma en rasgos como las mejillas, la barbilla, los ojos y la nariz. El cuello es delgado como el de la chica. De todos los tipos de personajes que aparecen en el libro, éste es el más difícil de diferenciar entre chico y chica.

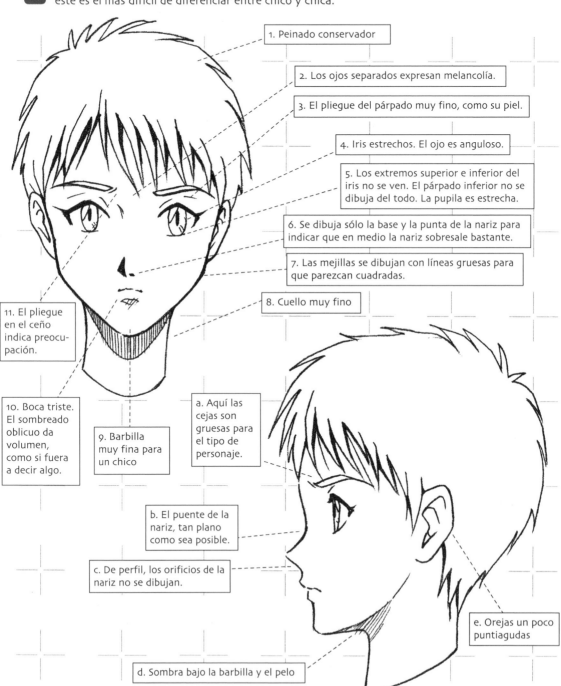

1. Peinado conservador

2. Los ojos separados expresan melancolía.

3. El pliegue del párpado muy fino, como su piel.

4. Iris estrechos. El ojo es anguloso.

5. Los extremos superior e inferior del iris no se ven. El párpado inferior no se dibuja del todo. La pupila es estrecha.

6. Se dibuja sólo la base y la punta de la nariz para indicar que en medio la nariz sobresale bastante.

7. Las mejillas se dibujan con líneas gruesas para que parezcan cuadradas.

8. Cuello muy fino

11. El pliegue en el ceño indica preocupación.

10. Boca triste. El sombreado oblicuo da volumen, como si fuera a decir algo.

9. Barbilla muy fina para un chico

a. Aquí las cejas son gruesas para el tipo de personaje.

b. El puente de la nariz, tan plano como sea posible.

c. De perfil, los orificios de la nariz no se dibujan.

d. Sombra bajo la barbilla y el pelo

e. Orejas un poco puntiagudas

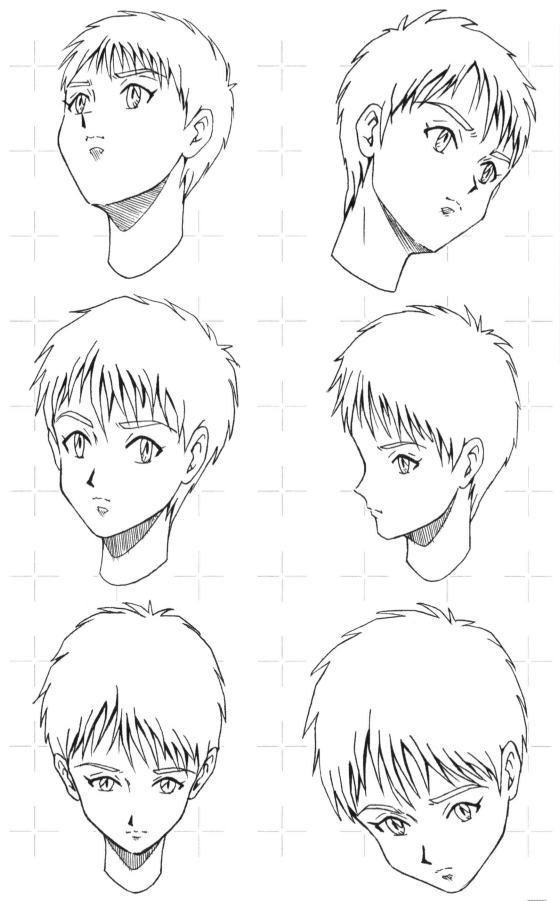

Lo más importante es la pureza de su imagen porque no pertenece a este mundo. Es una chica tenaz e indiferente. Siempre tiene la mirada perdida. Es amable y poco habladora. El dibujo debe tener un trazo sencillo para plasmar ese aire de estar flotando, ajena a las cosas mundanas. Se dibuja con todo lujo de detalles, y apenas aparecerá vista desde abajo. Pero hay que practicar todas sus poses, puesto que aparece en escenas trascendentales con gracia y resolución. Cuando mira hacia abajo, los ojos se cierran ligeramente.

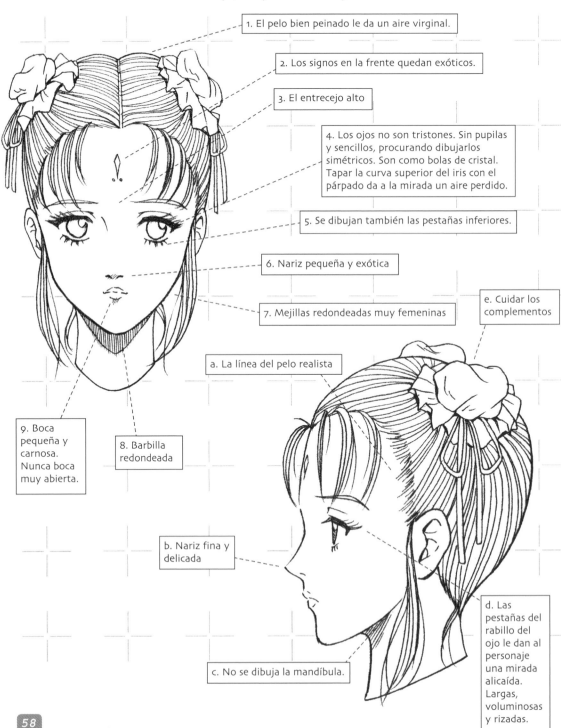

1. El pelo bien peinado le da un aire virginal.

2. Los signos en la frente quedan exóticos.

3. El entrecejo alto

4. Los ojos no son tristones. Sin pupilas y sencillos, procurando dibujarlos simétricos. Son como bolas de cristal. Tapar la curva superior del iris con el párpado da a la mirada un aire perdido.

5. Se dibujan también las pestañas inferiores.

6. Nariz pequeña y exótica

7. Mejillas redondeadas muy femeninas

e. Cuidar los complementos

a. La línea del pelo realista

9. Boca pequeña y carnosa. Nunca boca muy abierta.

8. Barbilla redondeada

b. Nariz fina y delicada

d. Las pestañas del rabillo del ojo le dan al personaje una mirada alicaída. Largas, voluminosas y rizadas.

c. No se dibuja la mandíbula.

La nariz prominente y los rasgos finos sugieren sangre fría y una amabilidad oculta. No revela sus sentimientos y es tímido. Es tenaz y apasionado. Este personaje suele estar atormentado por el pasado. El cuello robusto expresa su sentido de la responsabilidad y su naturaleza estoica. No le interesan los adornos, así que no se le añaden accesorios como pendientes. Tampoco tiene brillos en el pelo.

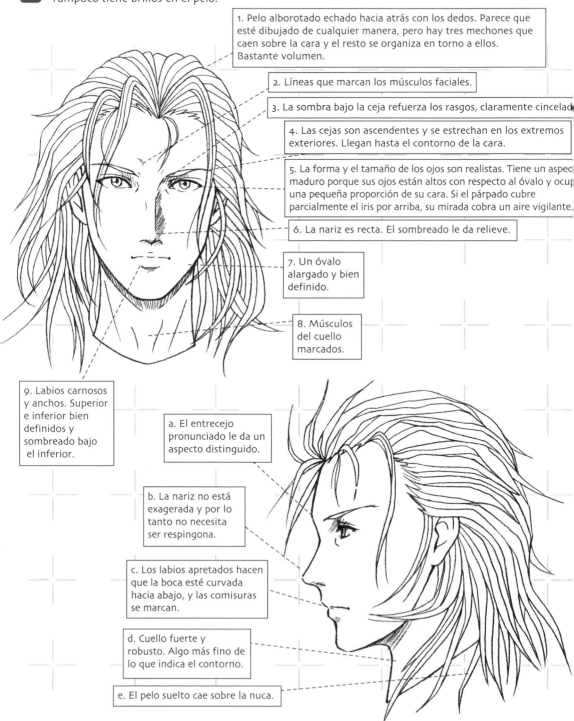

1. Pelo alborotado echado hacia atrás con los dedos. Parece que esté dibujado de cualquier manera, pero hay tres mechones que caen sobre la cara y el resto se organiza en torno a ellos. Bastante volumen.

2. Líneas que marcan los músculos faciales.

3. La sombra bajo la ceja refuerza los rasgos, claramente cincelad

4. Las cejas son ascendentes y se estrechan en los extremos exteriores. Llegan hasta el contorno de la cara.

5. La forma y el tamaño de los ojos son realistas. Tiene un aspec maduro porque sus ojos están altos con respecto al óvalo y ocup una pequeña proporción de su cara. Si el párpado cubre parcialmente el iris por arriba, su mirada cobra un aire vigilante.

6. La nariz es recta. El sombreado le da relieve.

7. Un óvalo alargado y bien definido.

8. Músculos del cuello marcados.

9. Labios carnosos y anchos. Superior e inferior bien definidos y sombreado bajo el inferior.

a. El entrecejo pronunciado le da un aspecto distinguido.

b. La nariz no está exagerada y por lo tanto no necesita ser respingona.

c. Los labios apretados hacen que la boca esté curvada hacia abajo, y las comisuras se marcan.

d. Cuello fuerte y robusto. Algo más fino de lo que indica el contorno.

e. El pelo suelto cae sobre la nuca.

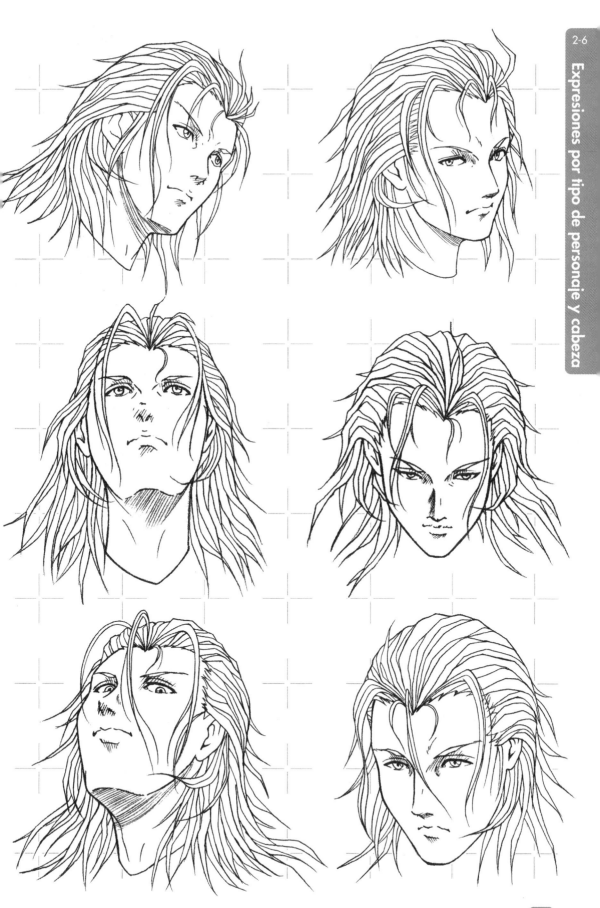

Una chica amable, alegre y callada. Su inocencia se expresa mediante unos grandes ojos infantiles. Hay que darle rasgos planos y pocos contornos, una nariz respingona y una boca muy pequeña, como una muñeca tradicional japonesa. Todo está redondeado. La parte superior de los ojos está cubierta levemente por los párpados para dar una expresión positiva. Hay que tener cuidado, porque si se cubre demasiado trozo del iris, la mirada cobrará un aspecto severo y atrevido (ver antiheroína). Hay que imaginarla como alguien a quien te gustaría tener cerca.

1. Una ligera depresión en la parte superior del pelo

2. El flequillo cae sobre las cejas, que no están claramente definidas.

3. Cejas finas. Las líneas de las cejas y de los ojos son paralelas, y la distancia entre ellas en los lagrimales y los extremos exteriores es la misma.

4. Ojos muy separados. No se marca el puente de la nariz.

5. Los iris son circulares, justo en medio del ojo. No se ve mucho blanco del ojo. Si se viera, parecería atrevida; los ojos son del mismo tamaño que en la antiheroína, pero parecen más grandes porque los de ésta no tienen el iris parcialmente cubierto por los párpados.

6. Este personaje siempre tiene mejillas redondas y rechonchas.

7. Cuello largo, no demasiado fino.

9. La boca curvada hacia abajo le da un aire malhumorado. No se marca el labio inferior con una línea.

8. La barbilla sólo se estrecha en un punto.

a. Pliegue del párpado muy marcado.

b. Nariz pequeña y respingona. Se dibuja sin puente de la nariz.

c. La boca se dibuja más pequeña que la de la antiheroína. Los labios no sobresalen.

d. No hay líneas en el cuello.

f. Orejas redondeadas

e. Siempre pelo corto. Mechones bien definidos para indicar buen estado del pelo.

Aunque es atrevido y sarcástico, es un buen chico. Es delgado y atlético, pero no se las arregla muy bien en los estudios. Contrariamente a las expectativas, es de lágrima fácil y tiene un corazón de oro. Suele tener hermanas. En líneas generales, al dibujarlo hay que pensar que es parte de un equipo.

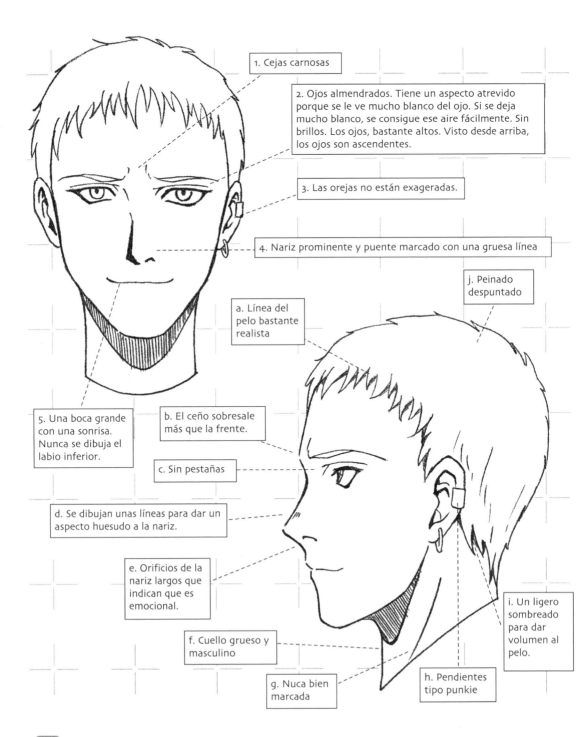

1. Cejas carnosas

2. Ojos almendrados. Tiene un aspecto atrevido porque se le ve mucho blanco del ojo. Si se deja mucho blanco, se consigue ese aire fácilmente. Sin brillos. Los ojos, bastante altos. Visto desde arriba, los ojos son ascendentes.

3. Las orejas no están exageradas.

4. Nariz prominente y puente marcado con una gruesa línea

j. Peinado despuntado

a. Línea del pelo bastante realista

5. Una boca grande con una sonrisa. Nunca se dibuja el labio inferior.

b. El ceño sobresale más que la frente.

c. Sin pestañas

d. Se dibujan unas líneas para dar un aspecto huesudo a la nariz.

e. Orificios de la nariz largos que indican que es emocional.

i. Un ligero sombreado para dar volumen al pelo.

f. Cuello grueso y masculino

g. Nuca bien marcada

h. Pendientes tipo punkie

Sus rasgos distintivos son maquinaria o aparatos en el cuerpo. Tiene una expresión melancólica y solitaria. Habla con la mirada. Normalmente no tiene padres y se enamora de hombres más mayores. Cuando mira al frente, el iris queda parcialmente cubierto por el párpado superior, lo que da a entender que no es muy abierta.

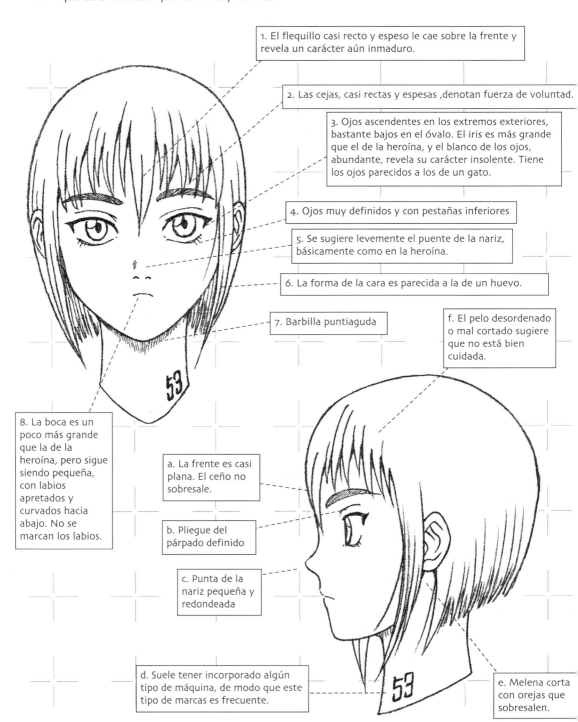

1. El flequillo casi recto y espeso le cae sobre la frente y revela un carácter aún inmaduro.

2. Las cejas, casi rectas y espesas ,denotan fuerza de voluntad.

3. Ojos ascendentes en los extremos exteriores, bastante bajos en el óvalo. El iris es más grande que el de la heroína, y el blanco de los ojos, abundante, revela su carácter insolente. Tiene los ojos parecidos a los de un gato.

4. Ojos muy definidos y con pestañas inferiores

5. Se sugiere levemente el puente de la nariz, básicamente como en la heroína.

6. La forma de la cara es parecida a la de un huevo.

7. Barbilla puntiaguda

f. El pelo desordenado o mal cortado sugiere que no está bien cuidada.

8. La boca es un poco más grande que la de la heroína, pero sigue siendo pequeña, con labios apretados y curvados hacia abajo. No se marcan los labios.

a. La frente es casi plana. El ceño no sobresale.

b. Pliegue del párpado definido

c. Punta de la nariz pequeña y redondeada

d. Suele tener incorporado algún tipo de máquina, de modo que este tipo de marcas es frecuente.

e. Melena corta con orejas que sobresalen.

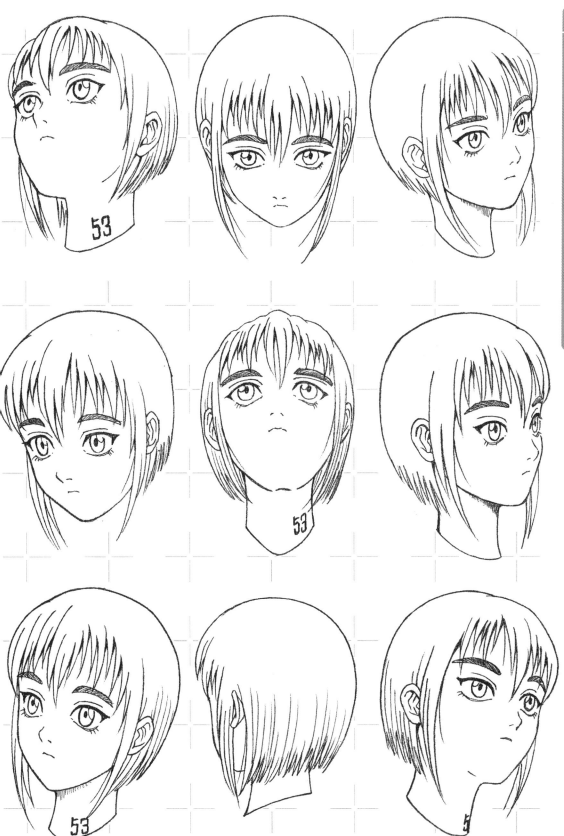

Consejos de un joven creador

小林冬至生

TOSHIO KOBAYASHI

PERFIL
Nombre: Toshio Kobayashi
Nacido en: Prefectura de Gifu (Japón)
Fecha de nacimiento: 18 de diciembre 1973

Tras finalizar una formación profesional, Kobayashi entra a trabajar en una empresa de videojuegos, donde sigue encargándose del diseño de personajes para una serie de dibujos animados.

Lo más importante es darle una personalidad a lo que estés dibujando. Lo que cuenta es cómo plasmar lo que piensas. Lo que dibujas expresa abiertamente lo que te gusta y lo que no, tu personalidad y tus emociones. No te das cuenta cuando vas viviendo el día a día, pero dibujar hace que mires en tu interior.

Empecé a dedicarme a esta profesión porque desde niño quise convertirme en artista. Todo empezó hace viente años, cuando vi por la tele a un hombre pintando en una esquina, en Europa. Por ahí empezó todo, y por ello sigo dibujando ahora.

No hay atajos para mejorar las técnicas de dibujo. Cuanto más se practique, mejores serán los dibujos. Hay que tratar de dibujar cualquier cosa, lo que sea, o copiar dibujos de artistas experimentados. Está bien mientras sea para divertirse o practicar. Hazlo una y otra vez hasta que domines los fundamentos y tengas una gama de estrategias con las que empezar a dibujar lo que quieras. Observa todo lo que hay a tu alrededor en la vida cotidiana: las expresiones de la gente, sus gestos, la forma en que hablan y se mueven, cómo visten... Observa la posición de la fuente de luz y las sombras, los colores, las formas, los tamaños y las texturas. Haz lo mismo con los objetos. Antes de que te des cuenta, lo harás inconscientemente. Observa, piensa y dibuja. Cuanto más, mejor. La cantidad y la calidad son importantes, pero más aún lo es la personalidad. Si tus dibujos no tienen personalidad, es fácil caer en la monotonía. Si llegas a sentirte así, es mejor empezar de cero otra vez y reconsiderarlo todo, los dibujos que te gustan, tus esbozos, tus borradores e ilustraciones.

Por último, quiero decir que no tengo ni la técnica ni los conocimientos para dibujar la décima parte de lo que imagino. Pero un aficionado puede convertirse en un profesional. Y ahora pienso más que nunca como un profesional.

Capítulo TERCERO
DIBUJAR EL CUERPO

¡ESTO NO HA HECHO MÁS QUE EMPEZAR!

Cuando vayas a dibujar el cuerpo, piensa en polígonos, igual que para dibujar cabezas. En el dibujo de abajo, el cuerpo está dibujado por cajas. Como ya hemos dicho anteriormente, es la mejor forma de mejorar la técnica del **dibujo en tres dimensiones**. Una vez domines los fundamentos, se puede pasar a exagerar el diseño del personaje y hacer buenos dibujos.

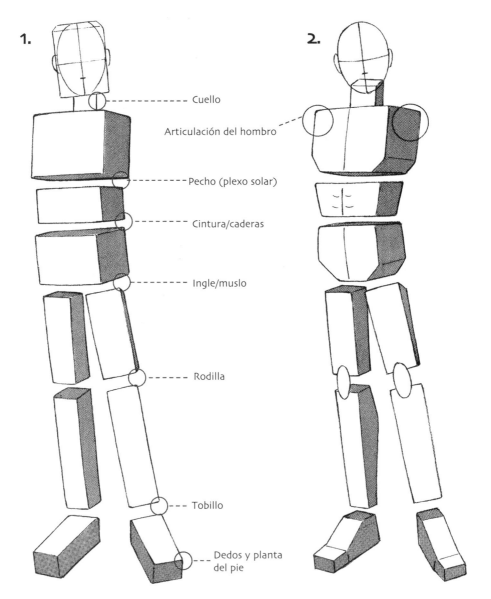

1.

- Cuello
- Articulación del hombro
- Pecho (plexo solar)
- Cintura/caderas
- Ingle/muslo
- Rodilla
- Tobillo
- Dedos y planta del pie

2.

1. El cuerpo está dividido en partes móviles (las articulaciones). Está constituido, *grosso modo*, por cabeza, cuello, pecho, cintura, caderas, muslos, pantorrillas y pies. El pecho, siempre está dividido en dos. Si el pecho recibe un golpe, el plexo solar se mete hacia adentro. Hay que pensar en él como en una gran articulación. No olvides nunca hacia dónde miran la parte frontal y los costados del cuerpo.

2. Añadimos los brazos, que como todo el mundo sabe, están a los lados. La rodilla se une por delante. Los profesionales dibujan las articulaciones de la rodilla como círculos en los esbozos. Hay que prestar atención al grosor del empeine y de los dedos. Primero se dibuja el empeine y luego se añade la parte móvil de los dedos.

3.

4.

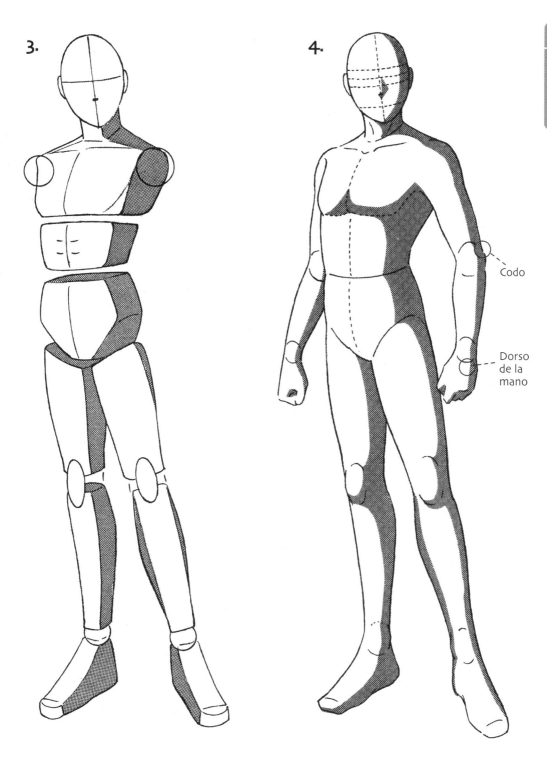

Codo

Dorso
de la
mano

3. Siempre ayuda pensar en el tobillo y en el hombro como bolas, como si el cuerpo humano fuera un robot. Las plantas de los pies no son planas, sino que forman un ángulo. Los hombros no salen de los lados, sino que están conectados con el cuello en ángulo por la parte frontal del cuerpo. Atención a la prominencia de las pantorrillas.

4. Imagina que los brazos se articulan en torno a las bolas. El sombreado depende normalmente de la dirección de la luz. Ver sombreado del (1). Recuerda que hasta los dedos se deben sombrear. Sólo con echar un vistazo al sombreado del (4), se puede comprobar cómo mejora un dibujo sólo con sugerir claroscuros basándose en el (1).

Dibujar con cilindros las partes curvas del cuerpo como los brazos, las caderas y los tobillos es una gran ayuda. En la sección anterior hemos visto formas básicas. El siguiente paso es pensar en superficies curvas. Al dibujar cilindros hay que tener en cuenta que las curvas cambian en función de la dirección del cuerpo. No hace falta empezar por las curvas cuando se dibuja, pero permite comprender mejor el físico del personaje y dibujarlo desde cualquier ángulo de manera realista. Veamos los siguientes ejemplos para dibujar el cuerpo visto desde abajo y desde arriba.

Visto desde abajo

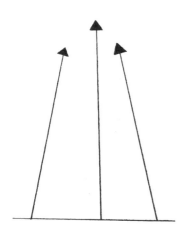

Partimos de la línea a la altura de los ojos.

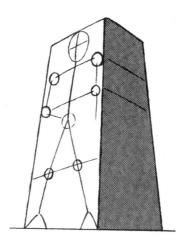

Cuanto más lejos, más pequeño se ve el objeto.

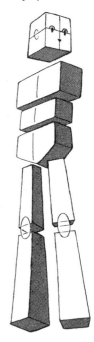

Primero se dibuja el cuerpo en cubos.

Visto desde arriba

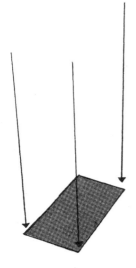

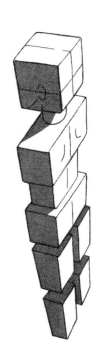

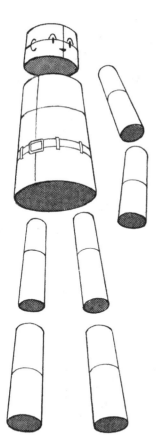

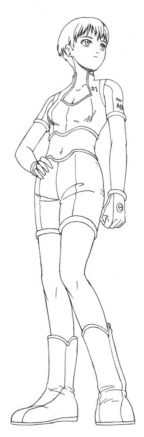

Cuanto más ancha sea la superficie de los círculos (juntas en negro), más grande es el ángulo de los planos picado y contrapicado.

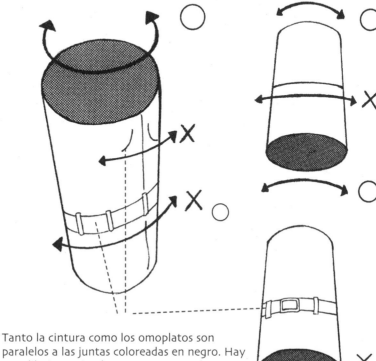

Tanto la cintura como los omoplatos son paralelos a las juntas coloreadas en negro. Hay que dibujar teniendo en cuenta estas áreas. De lo contrario, el dibujo quedará superficial.

Practica con estos cilindros aunque no entiendas muy bien para qué.
Las líneas curvas y el estampado siempre son paralelos. En cuanto sepas dibujar un buen círculo sin compás, estarás preparado para dibujar formas más exageradas.

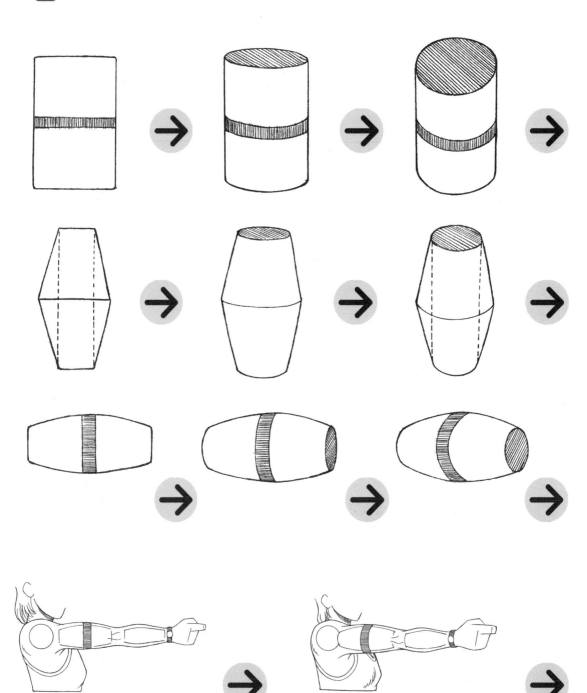

MIRA DE IZQUIERDA A DERECHA. EL ÚLTIMO DIBUJO ES DIFÍCIL INCLUSO PARA LOS PROFESIONALES: SE TRATA DE UN BRAZO EN ESCORZO FRONTAL.

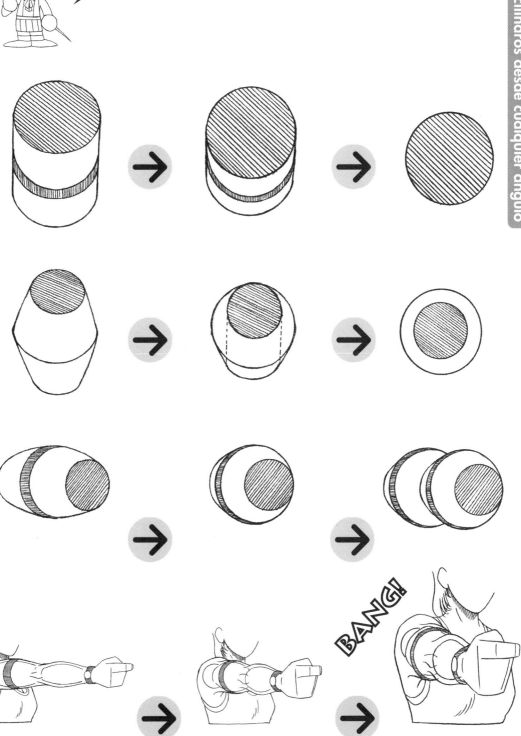

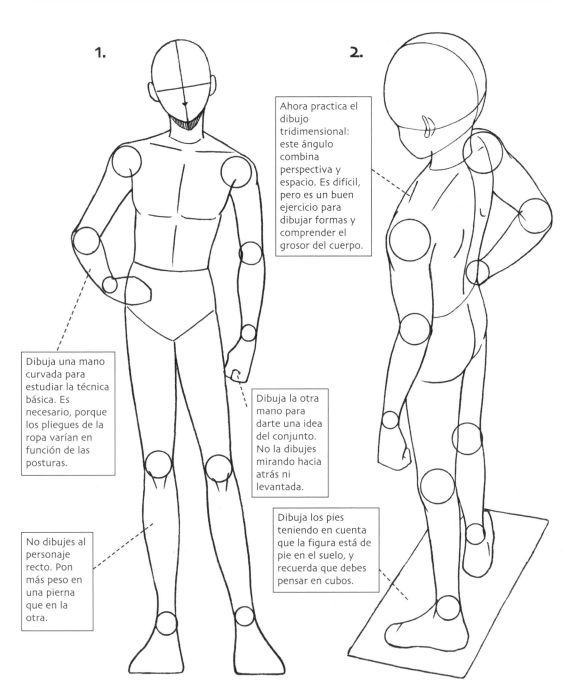

1.

2.

Ahora practica el dibujo tridimensional: este ángulo combina perspectiva y espacio. Es difícil, pero es un buen ejercicio para dibujar formas y comprender el grosor del cuerpo.

Dibuja una mano curvada para estudiar la técnica básica. Es necesario, porque los pliegues de la ropa varían en función de las posturas.

Dibuja la otra mano para darte una idea del conjunto. No la dibujes mirando hacia atrás ni levantada.

No dibujes al personaje recto. Pon más peso en una pierna que en la otra.

Dibuja los pies teniendo en cuenta que la figura está de pie en el suelo, y recuerda que debes pensar en cubos.

1. Vista frontal (básica)
En los videojuegos y en la animación no sólo trabaja una persona. Este trabajo requiere el esfuerzo de un grupo. **Por ello, todos tienen que comprender las expresiones del personaje**. Esta pose frontal es la base a partir de la que todos pueden trabajar.

2. Visto desde arriba (plano oblicuo posterior)
Es necesario saber dibujar cosas que estén en un plano inferior. Con frecuencia hay que montar una escena y mostrar a los personajes en ella. En términos de dirección, este plano se utiliza en **escenas en las que el personaje está deprimido**. Dibujar el personaje desde detrás aumenta la tristeza de la escena.

3.

4.

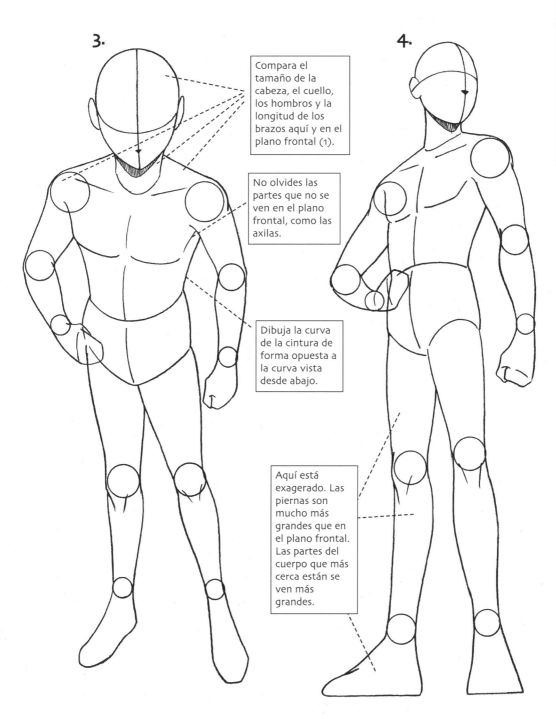

Compara el tamaño de la cabeza, el cuello, los hombros y la longitud de los brazos aquí y en el plano frontal (1).

No olvides las partes que no se ven en el plano frontal, como las axilas.

Dibuja la curva de la cintura de forma opuesta a la curva vista desde abajo.

Aquí está exagerado. Las piernas son mucho más grandes que en el plano frontal. Las partes del cuerpo que más cerca están se ven más grandes.

3. Visto desde arriba (frontal)
Como en el (2), esta postura se utiliza en escenas explicativas relacionadas con el personaje.

4. Visto desde abajo
Este plano se utiliza para **reforzar la fuerza y el tamaño del personaje, y para expresar entusiasmo y atractivo.**

El cuerpo de las chicas tiene que ser delicado, no rígido. En la postura siguiente, trata de conseguir un aire natural, con las rodillas juntas, los pies no muy separados y los puños semiabiertos.

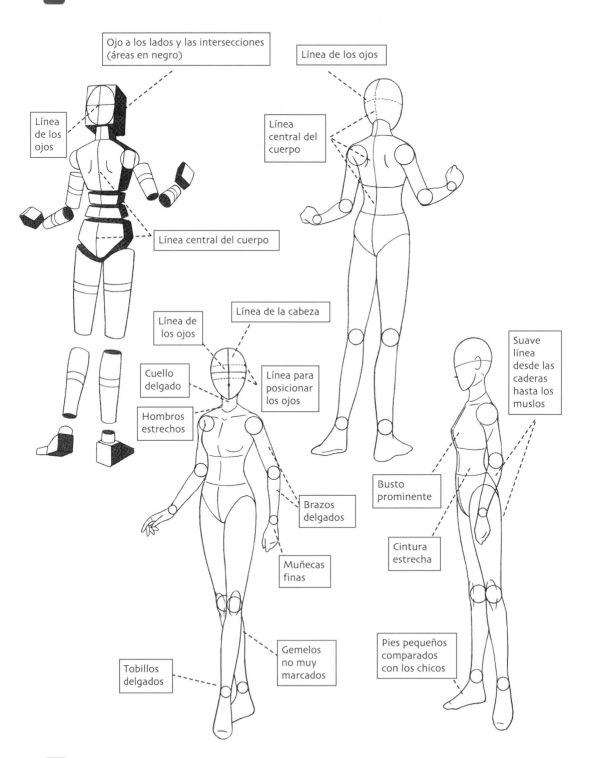

Ojo a los lados y las intersecciones (áreas en negro)

Línea de los ojos

Línea de los ojos

Línea central del cuerpo

Línea central del cuerpo

Línea de los ojos

Línea de la cabeza

Línea central del cuerpo

Cuello delgado

Línea para posicionar los ojos

Hombros estrechos

Suave línea desde las caderas hasta los muslos

Brazos delgados

Busto prominente

Muñecas finas

Cintura estrecha

Gemelos no muy marcados

Pies pequeños comparados con los chicos

Tobillos delgados

El cuerpo de los chicos tiene que tener los músculos marcados. A continuación, vemos un personaje dibujado con una mano en la cadera, un puño cerrado y las rodillas separadas con los pies hacia fuera.

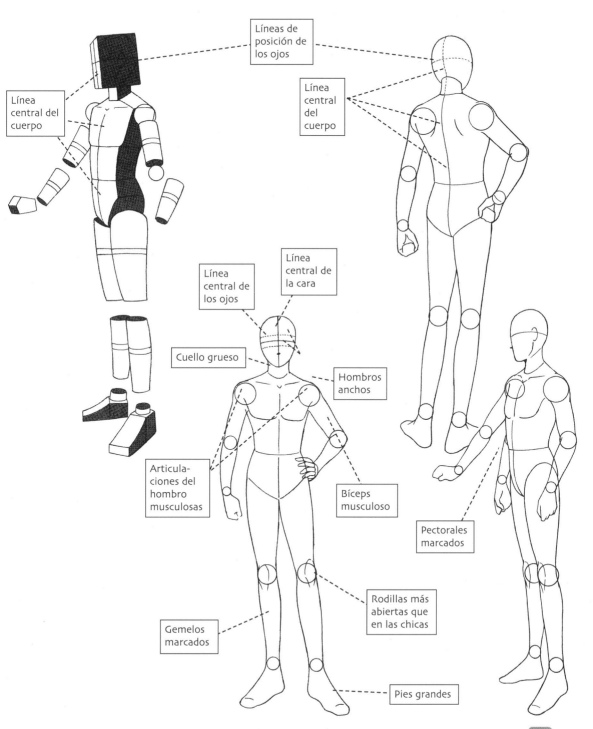

Es el equivalente de las princesas, y las prendas de vestir tienen elementos de época. Lleva multitud de accesorios, como galones, botas y guantes. Todo muy ajustado. Es muy exagerada, y se dibuja con brazos y piernas muy largos. Suele ser un personaje de las historias de colegiales, de manera que es vital que lleve uniforme.

Mangas de farol, femeninas y vistosas

Hombros estrechos, a la misma distancia que los picos del pelo. Cuello muy fino.

Galón en el pecho

El extremo de los guantes queda un poco holgado.

El cuello abierto recalca la feminidad. Pasamanería. Pecho abundante que forma pliegues horizontales.

Cintura muy estrecha y caderas casi invisibles.

Pliegues horizontales porque la camisa está abotonada delante y tira.

Los brazos y piernas son líneas rectas sin curvas. Las rodillas se marcan con líneas verticales.

Codo marcado con una línea

Las nalgas no sobresalen.

Los guantes, como las botas, son ceñidos, pero forman pliegues alrededor de la muñeca.

Los personajes bishojo suelen llevar pelo largo.

Botas incluso en verano, con el uniforme. Sencillas y ajustadas, con un poco de tacón. En los tobillos quedan un poco holgadas.

Siempre lleva falda, por ejemplo minifalda plisada. Ojo con los pliegues en el contrapicado.

Un uniforme sencillo con cuello almidonado. Los detalles como las charreteras son vestigios de los uniformes militares. Se parece más a un uniforme nazi que al que llevan los colegiales en Japón. El personaje tiene los brazos y las piernas muy largos como la chica, y los hombros y las manos no son muy masculinos. Es el estilo *bishonen*, con un pecho estrecho y una constitución delgada.

Pelo largo. Por los lados es más corto.

Tiene el peinado de un *bishonen*, con un corte recto y reflejos.

Cuello del uniforme plantado. Cuello fino.

Su esbelto cuerpo queda enfatizado por el uso de una cremallera en lugar de botones en la parte frontal de la chaqueta.

Las charreteras siguen la curva del hombro. Hombros pequeños.

El antebrazo es muy fino, sin relieve muscular.

Pliegues de las pinzas de la cintura

La chaqueta está más ajustada a la altura de la cintura. Las arrugas horizontales indican la posición de la cadera. Para ser un chico, tiene la cadera muy femenina.

No se marcan las nalgas.

La guarnición de los puños hace juego con las charreteras.

El camal sigue el contorno del gemelo.

Arrugas horizontales en los bajos del pantalón.

Los camales marcan la forma de los gemelos. Anchos alrededor de los tobillos.

Chica tipo B exagerada

El estilo de su ropa, siempre étnica, suele ser más parecido al africano o al sudamericano que al asiático. A pesar de que lleve ropa ancha, suele ser sexy porque queda desnuda gran parte de su cuerpo. Siempre lleva accesorios llamativos, que corresponden al estilo étnico: de lo contrario quedará desgarbada. El cuerpo se dibuja con líneas suaves y se marcan las curvas. El rasgo distintivo es el pelo largo hasta los tobillos.

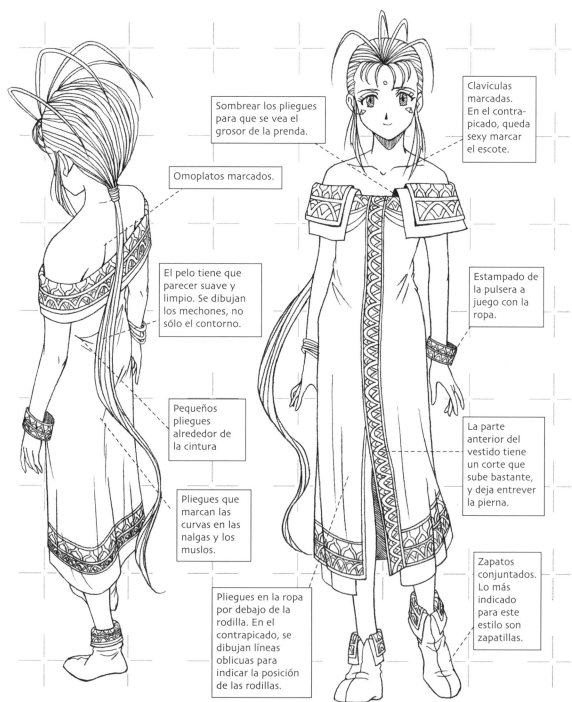

Sombrear los pliegues para que se vea el grosor de la prenda.

Omoplatos marcados.

El pelo tiene que parecer suave y limpio. Se dibujan los mechones, no sólo el contorno.

Pequeños pliegues alrededor de la cintura

Pliegues que marcan las curvas en las nalgas y los muslos.

Pliegues en la ropa por debajo de la rodilla. En el contrapicado, se dibujan líneas oblicuas para indicar la posición de las rodillas.

Clavículas marcadas. En el contrapicado, queda sexy marcar el escote.

Estampado de la pulsera a juego con la ropa.

La parte anterior del vestido tiene un corte que sube bastante, y deja entrever la pierna.

Zapatos conjuntados. Lo más indicado para este estilo son zapatillas.

Chico tipo B exagerado

El traje responde al estilo del género visual. Atención a los detalles porque este personaje es elegante y ostentoso (por ejemplo, los cuatro botones de la levita, el flequillo suelto, los dos pendientes en la misma oreja, zapatos de piel con cuña, etc). El pelo, recogido en la nuca en una coleta, es muy largo.

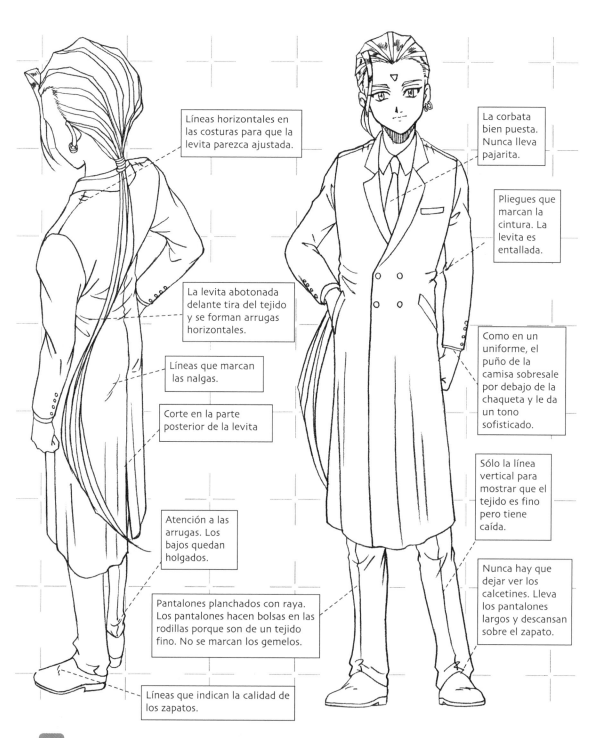

Líneas horizontales en las costuras para que la levita parezca ajustada.

La corbata bien puesta. Nunca lleva pajarita.

Pliegues que marcan la cintura. La levita es entallada.

La levita abotonada delante tira del tejido y se forman arrugas horizontales.

Líneas que marcan las nalgas.

Corte en la parte posterior de la levita

Como en un uniforme, el puño de la camisa sobresale por debajo de la chaqueta y le da un tono sofisticado.

Sólo la línea vertical para mostrar que el tejido es fino pero tiene caída.

Atención a las arrugas. Los bajos quedan holgados.

Pantalones planchados con raya. Los pantalones hacen bolsas en las rodillas porque son de un tejido fino. No se marcan los gemelos.

Nunca hay que dejar ver los calcetines. Lleva los pantalones largos y descansan sobre el zapato.

Líneas que indican la calidad de los zapatos.

Este personaje es animado, está en forma y es atractivo. Le hemos puesto pantalones vaqueros muy ajustados y un top de biquini, además de un tatuaje en forma de labios en el bíceps. Suele tener pecho abundante y la cintura muy fina. Tiene las piernas delgadas y los tobillos también. Los pantalones son de cintura baja y dejan al aire el ombligo. Es de constitución delgada, de manera que los hombros, el cuello y las clavículas son pequeños. Presta atención a los detalles como los lazos del top.

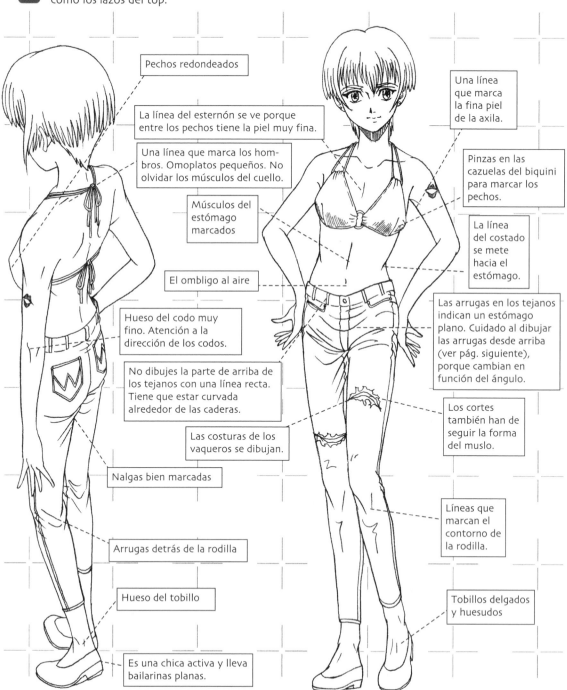

Pechos redondeados

La línea del esternón se ve porque entre los pechos tiene la piel muy fina.

Una línea que marca los hombros. Omoplatos pequeños. No olvidar los músculos del cuello.

Músculos del estómago marcados

El ombligo al aire

Hueso del codo muy fino. Atención a la dirección de los codos.

No dibujes la parte de arriba de los tejanos con una línea recta. Tiene que estar curvada alrededor de las caderas.

Las costuras de los vaqueros se dibujan.

Nalgas bien marcadas

Arrugas detrás de la rodilla

Hueso del tobillo

Es una chica activa y lleva bailarinas planas.

Una línea que marca la fina piel de la axila.

Pinzas en las cazuelas del biquini para marcar los pechos.

La línea del costado se mete hacia el estómago.

Las arrugas en los tejanos indican un estómago plano. Cuidado al dibujar las arrugas desde arriba (ver pág. siguiente), porque cambian en función del ángulo.

Los cortes también han de seguir la forma del muslo.

Líneas que marcan el contorno de la rodilla.

Tobillos delgados y huesudos

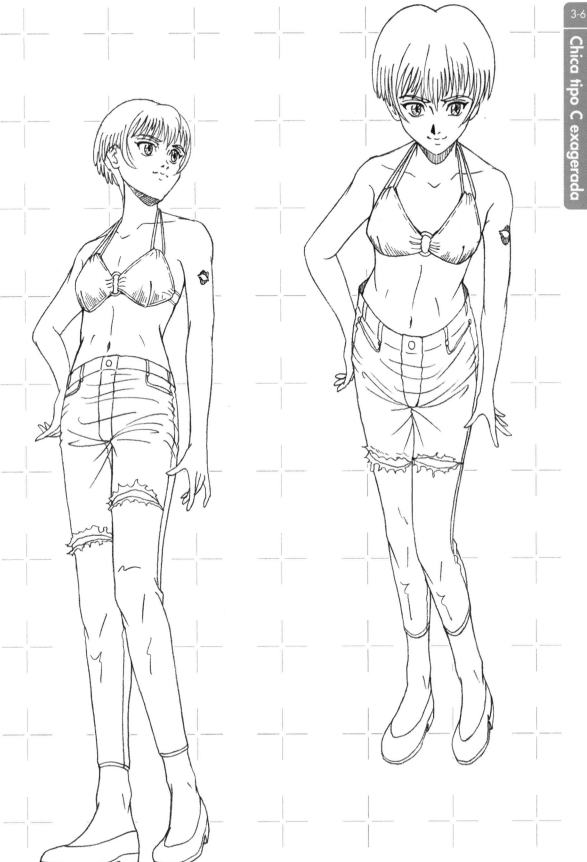

Este vivaracho personaje se dibuja con un **estilo informal**. Tiene las piernas delgadas y apenas varían de grosor. La ropa, ajustada pero sencilla, sin recargar con accesorios. La camiseta de manga corta es más fina que la cazadora de piel, de manera que tendrá más pliegues. Se trata de un **chico joven, ágil y delgado siempre dispuesto a actuar**.

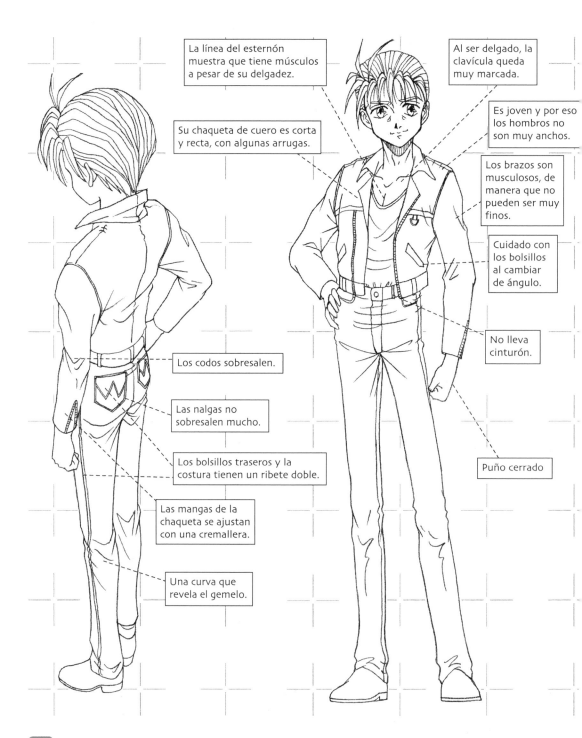

La línea del esternón muestra que tiene músculos a pesar de su delgadez.

Su chaqueta de cuero es corta y recta, con algunas arrugas.

Al ser delgado, la clavícula queda muy marcada.

Es joven y por eso los hombros no son muy anchos.

Los brazos son musculosos, de manera que no pueden ser muy finos.

Cuidado con los bolsillos al cambiar de ángulo.

No lleva cinturón.

Los codos sobresalen.

Las nalgas no sobresalen mucho.

Los bolsillos traseros y la costura tienen un ribete doble.

Puño cerrado

Las mangas de la chaqueta se ajustan con una cremallera.

Una curva que revela el gemelo.

Al dibujar esta indumentaria étnica, debes considerar el diseño total de los zapatos, los pendientes y el traje, o no funcionará. Tiene que estar todo conjuntado para mostrar que viene de un mundo muy diferente al de la heroína. No hay que recalcar su feminidad. La ropa que lleve debe ser cómoda.

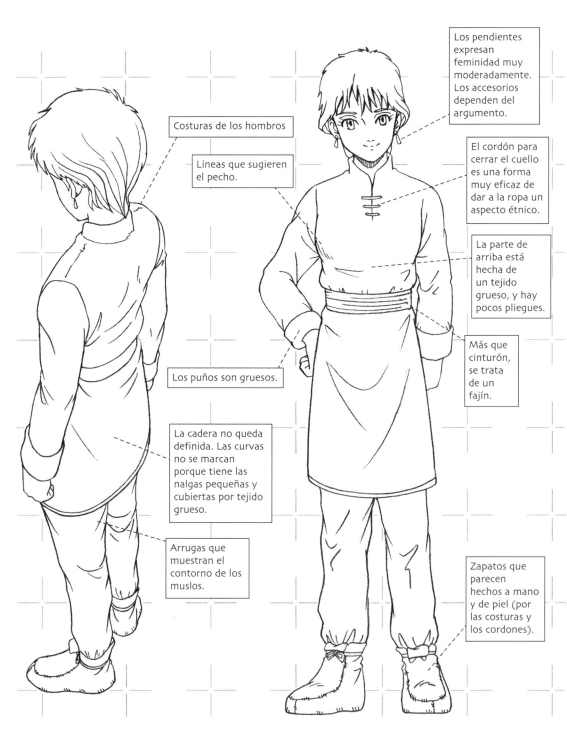

Los pendientes expresan feminidad muy moderadamente. Los accesorios dependen del argumento.

Costuras de los hombros

Líneas que sugieren el pecho.

El cordón para cerrar el cuello es una forma muy eficaz de dar a la ropa un aspecto étnico.

La parte de arriba está hecha de un tejido grueso, y hay pocos pliegues.

Los puños son gruesos.

Más que cinturón, se trata de un fajín.

La cadera no queda definida. Las curvas no se marcan porque tiene las nalgas pequeñas y cubiertas por tejido grueso.

Arrugas que muestran el contorno de los muslos.

Zapatos que parecen hechos a mano y de piel (por las costuras y los cordones).

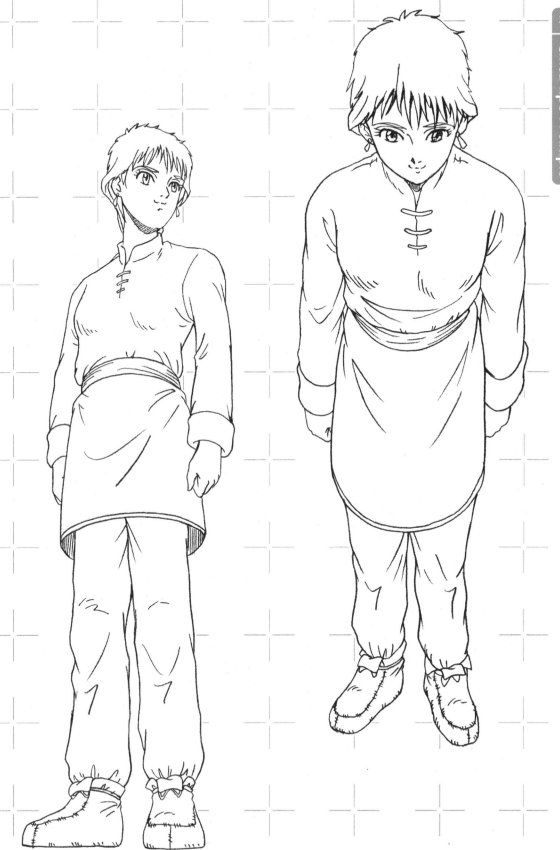

La ropa tiene que parecer real cuando vistes al personaje **de un modo que jamás se vería en la calle**. Este personaje es musculoso, de manera que los tejidos finos marcarán sus músculos. Tiene una personalidad despierta y necesita ropas que no le dificulten los movimientos. Para hacerte una idea de cómo funcionaría la ropa, hazte preguntas como: "¿Podrá moverse si pongo un lazo aquí?", e inténtalo tu mismo. Para el fajín y los cordones, dibuja correctamente el nudo y los extremos. Si dejas los cabos demasiado cortos, no llega para hacer un nudo y el personaje pierde realismo.

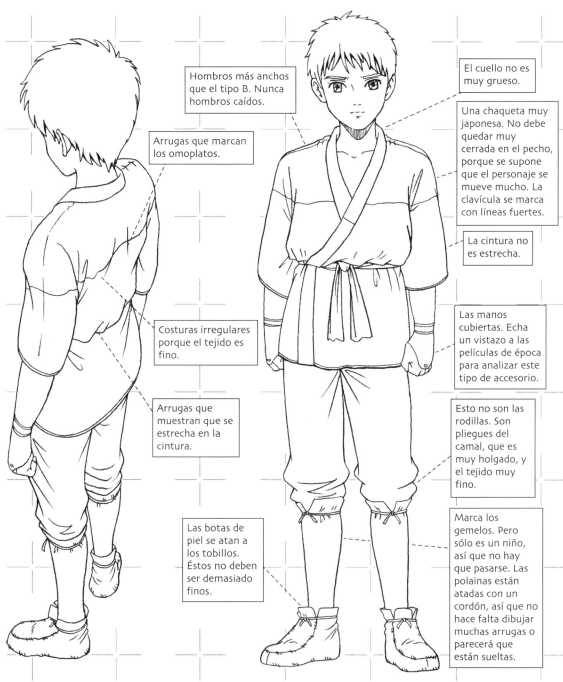

Hombros más anchos que el tipo B. Nunca hombros caídos.

Arrugas que marcan los omoplatos.

Costuras irregulares porque el tejido es fino.

Arrugas que muestran que se estrecha en la cintura.

Las botas de piel se atan a los tobillos. Éstos no deben ser demasiado finos.

El cuello no es muy grueso.

Una chaqueta muy japonesa. No debe quedar muy cerrada en el pecho, porque se supone que el personaje se mueve mucho. La clavícula se marca con líneas fuertes.

La cintura no es estrecha.

Las manos cubiertas. Echa un vistazo a las películas de época para analizar este tipo de accesorio.

Esto no son las rodillas. Son pliegues del camal, que es muy holgado, y el tejido muy fino.

Marca los gemelos. Pero sólo es un niño, así que no hay que pasarse. Las polainas están atadas con un cordón, así que no hace falta dibujar muchas arrugas o parecerá que están sueltas.

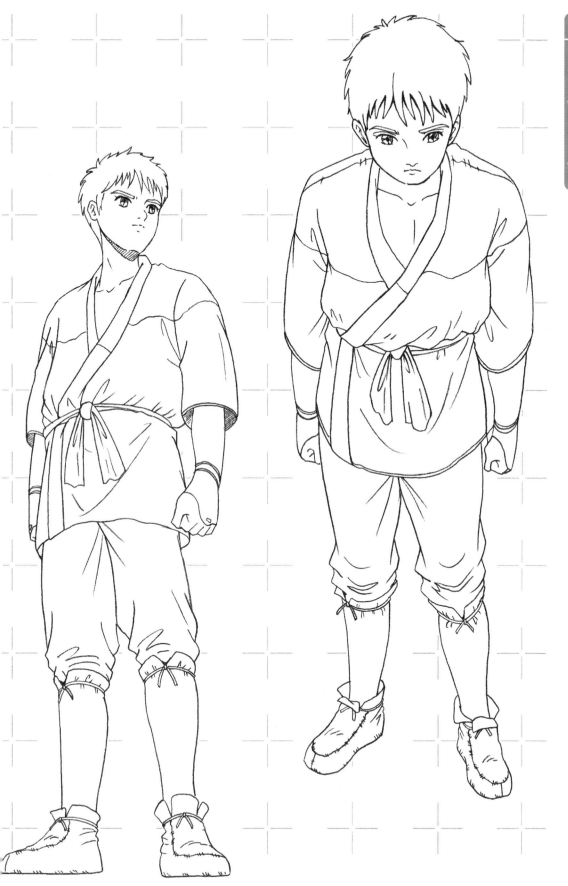

Chica tipo B simple

Suele aparecer en **historias de colegiales,** así que con frecuencia llevará uniforme. Debes practicar distintos tipos de uniforme. La **chaqueta** se lleva más que el traje de marinero últimamente. Es mejor evitar las modas pasajeras. Este personaje es un *shojo,* de constitución delgada.

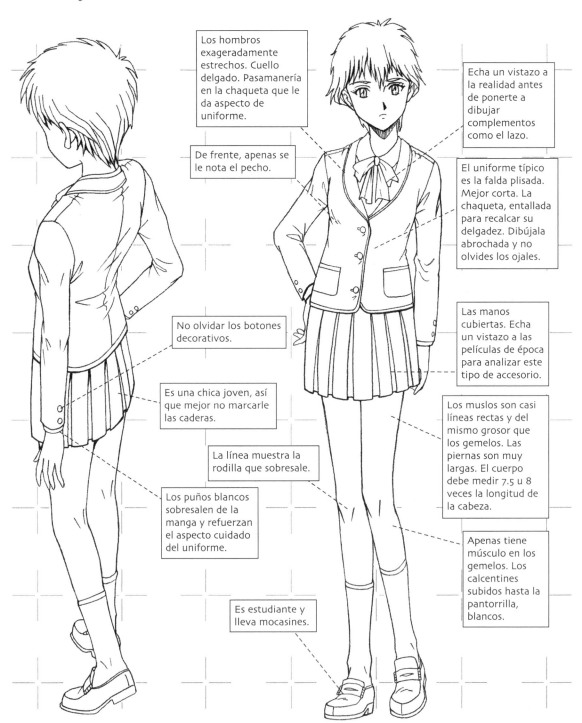

Los hombros exageradamente estrechos. Cuello delgado. Pasamanería en la chaqueta que le da aspecto de uniforme.

De frente, apenas se le nota el pecho.

Echa un vistazo a la realidad antes de ponerte a dibujar complementos como el lazo.

El uniforme típico es la falda plisada. Mejor corta. La chaqueta, entallada para recalcar su delgadez. Dibújala abrochada y no olvides los ojales.

No olvidar los botones decorativos.

Es una chica joven, así que mejor no marcarle las caderas.

La línea muestra la rodilla que sobresale.

Los puños blancos sobresalen de la manga y refuerzan el aspecto cuidado del uniforme.

Las manos cubiertas. Echa un vistazo a las películas de época para analizar este tipo de accesorio.

Los muslos son casi líneas rectas y del mismo grosor que los gemelos. Las piernas son muy largas. El cuerpo debe medir 7.5 u 8 veces la longitud de la cabeza.

Apenas tiene músculo en los gemelos. Los calcentines subidos hasta la pantorrilla, blancos.

Es estudiante y lleva mocasines.

El físico es exagerado, con hombros muy estrechos comparados con la cabeza, para que parezca tener una **constitución frágil**. Los pantalones rectos, sin marcar músculos. Aunque es estudiante de insituto o mayor, es mejor imaginarlo con la **constitución delgada** de un niño. Ojo a los detalles como el cinturón, las trabillas, los bolsillos y los botones.

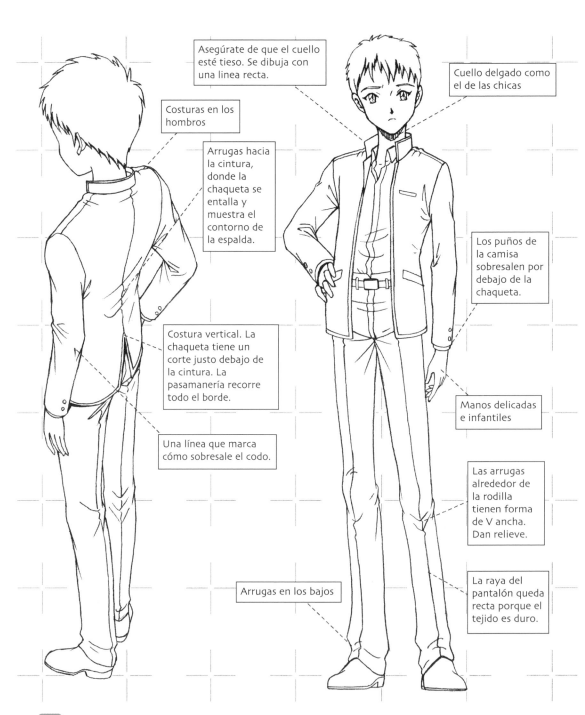

Asegúrate de que el cuello esté tieso. Se dibuja con una linea recta.

Cuello delgado como el de las chicas

Costuras en los hombros

Arrugas hacia la cintura, donde la chaqueta se entalla y muestra el contorno de la espalda.

Los puños de la camisa sobresalen por debajo de la chaqueta.

Costura vertical. La chaqueta tiene un corte justo debajo de la cintura. La pasamanería recorre todo el borde.

Manos delicadas e infantiles

Una línea que marca cómo sobresale el codo.

Las arrugas alrededor de la rodilla tienen forma de V ancha. Dan relieve.

Arrugas en los bajos

La raya del pantalón queda recta porque el tejido es duro.

Cuando la dibujemos de frente, en vez de una pose firme, le daremos un toque coqueto colocando el peso del cuerpo sobre una pierna y las caderas ladeadas. El ajustado vestido tiene un **diseño asiático tradicional**, y los complementos de este tipo son muy comunes, aunque también se puede optar por un sari hindú o por los trajes típicos coreanos. Es importante tenerlos todos en cuenta. **Es atractiva**, y el vestido entallado le da un aspecto **exótico**. Atención a no exagerar el pecho, porque le daría un aspecto vulgar.

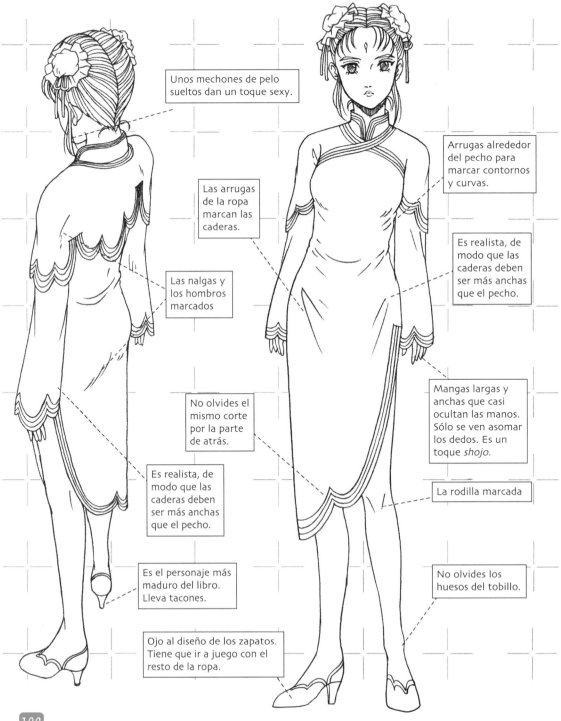

Unos mechones de pelo sueltos dan un toque sexy.

Arrugas alrededor del pecho para marcar contornos y curvas.

Las arrugas de la ropa marcan las caderas.

Es realista, de modo que las caderas deben ser más anchas que el pecho.

Las nalgas y los hombros marcados

Mangas largas y anchas que casi ocultan las manos. Sólo se ven asomar los dedos. Es un toque *shojo*.

No olvides el mismo corte por la parte de atrás.

La rodilla marcada

Es realista, de modo que las caderas deben ser más anchas que el pecho.

Es el personaje más maduro del libro. Lleva tacones.

No olvides los huesos del tobillo.

Ojo al diseño de los zapatos. Tiene que ir a juego con el resto de la ropa.

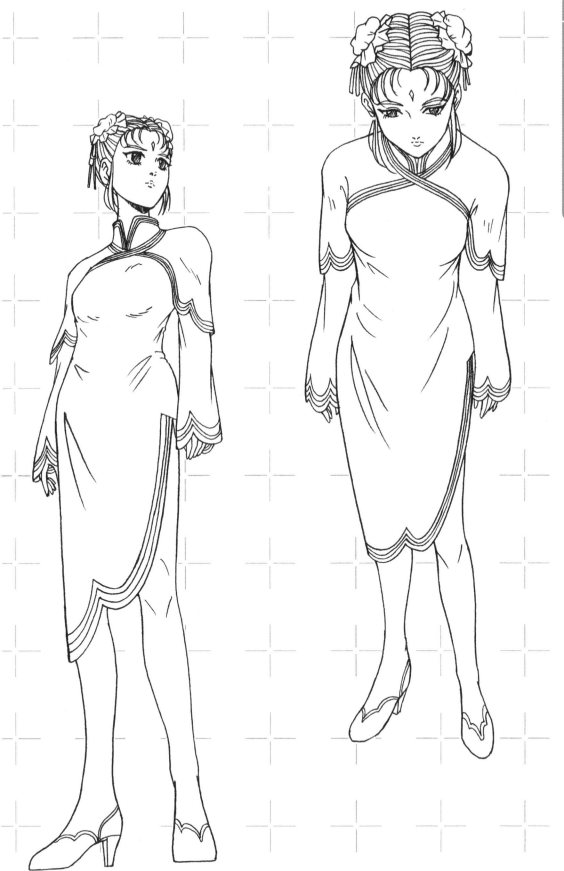

Es más realista que la chica del mismo tipo. Se dibujan arrugas en la ropa para marcar los músculos (forma y definición). Atención a las costuras horizontales de los vaqueros. Los pliegues son líneas cortas horizontales y las costuras se dibujan en tres dimensiones. Si se presta atención a este tipo de detalles, el dibujo queda más realista.

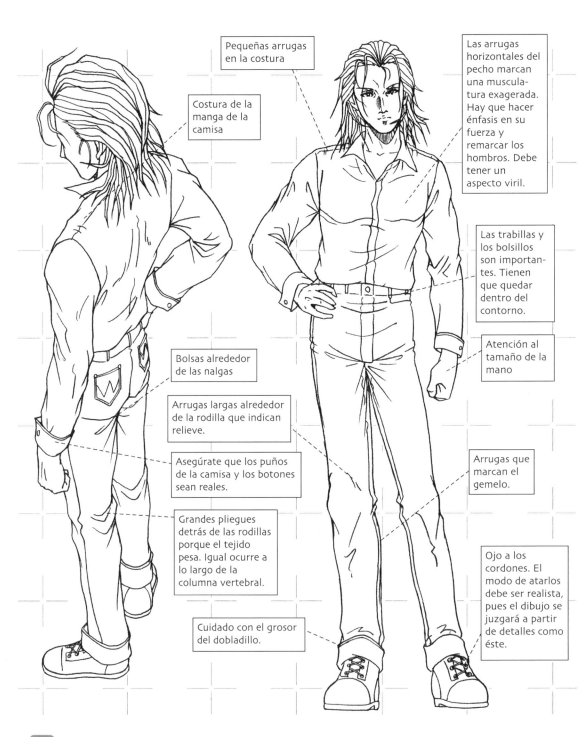

Pequeñas arrugas en la costura

Costura de la manga de la camisa

Las arrugas horizontales del pecho marcan una musculatura exagerada. Hay que hacer énfasis en su fuerza y remarcar los hombros. Debe tener un aspecto viril.

Las trabillas y los bolsillos son importantes. Tienen que quedar dentro del contorno.

Atención al tamaño de la mano

Bolsas alrededor de las nalgas

Arrugas largas alrededor de la rodilla que indican relieve.

Asegúrate que los puños de la camisa y los botones sean reales.

Arrugas que marcan el gemelo.

Grandes pliegues detrás de las rodillas porque el tejido pesa. Igual ocurre a lo largo de la columna vertebral.

Ojo a los cordones. El modo de atarlos debe ser realista, pues el dibujo se juzgará a partir de detalles como éste.

Cuidado con el grosor del dobladillo.

Este personaje es el que **mejor cuerpo** tiene de los que aparecen en el libro. Los muslos deben ser redondeados, como las nalgas y el pecho. Aparece en **historias de robots**, de manera que lleva un **uniforme futurista**. La ropa debe estar conjuntada con guantes y botas. Es activa y va con chicos; su **vivacidad** se expresa evitando vestirla con falda. Para dar énfasis a su voluptuosidad, dejamos el **cuerpo bastante descubierto** y le ponemos pantalones cortos. Normalmente los papeles principales en las historias de ciencia ficción son para los chicos; hay que conseguir, pues, que esta chica no pase desapercibida.

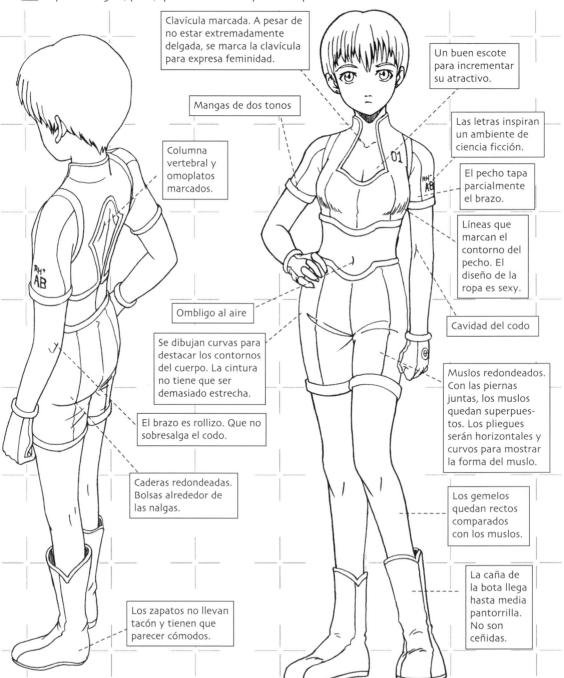

Clavícula marcada. A pesar de no estar extremadamente delgada, se marca la clavícula para expresa feminidad.

Mangas de dos tonos

Columna vertebral y omoplatos marcados.

Ombligo al aire

Se dibujan curvas para destacar los contornos del cuerpo. La cintura no tiene que ser demasiado estrecha.

El brazo es rollizo. Que no sobresalga el codo.

Caderas redondeadas. Bolsas alrededor de las nalgas.

Los zapatos no llevan tacón y tienen que parecer cómodos.

Un buen escote para incrementar su atractivo.

Las letras inspiran un ambiente de ciencia ficción.

El pecho tapa parcialmente el brazo.

Líneas que marcan el contorno del pecho. El diseño de la ropa es sexy.

Cavidad del codo

Muslos redondeados. Con las piernas juntas, los muslos quedan superpuestos. Los pliegues serán horizontales y curvos para mostrar la forma del muslo.

Los gemelos quedan rectos comparados con los muslos.

La caña de la bota llega hasta media pantorrilla. No son ceñidas.

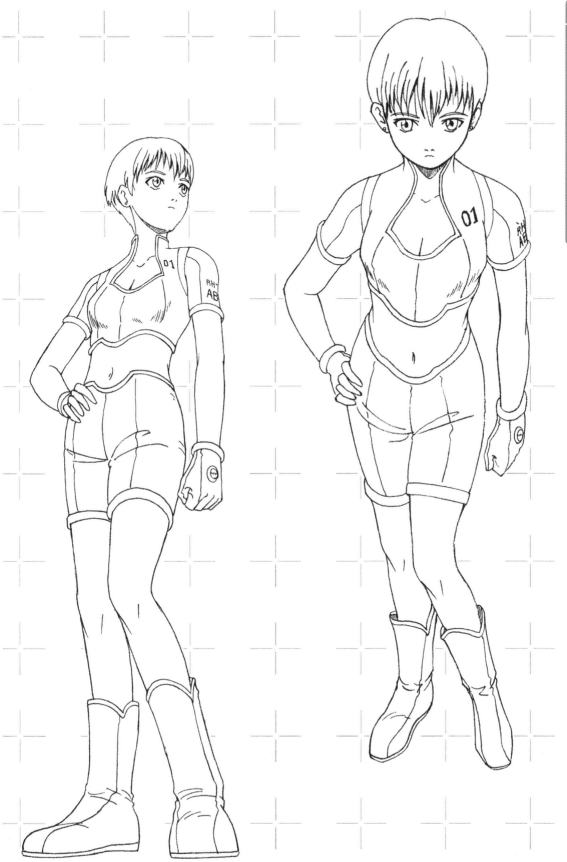

Su físico es el de un adolescente, no el de un niño. **Es un cruce entre el típico tipo duro y un soldado americano**. Es huesudo y se dibuja con líneas angulosas. Su estilo corresponde a su personalidad: atrevido y tenaz.

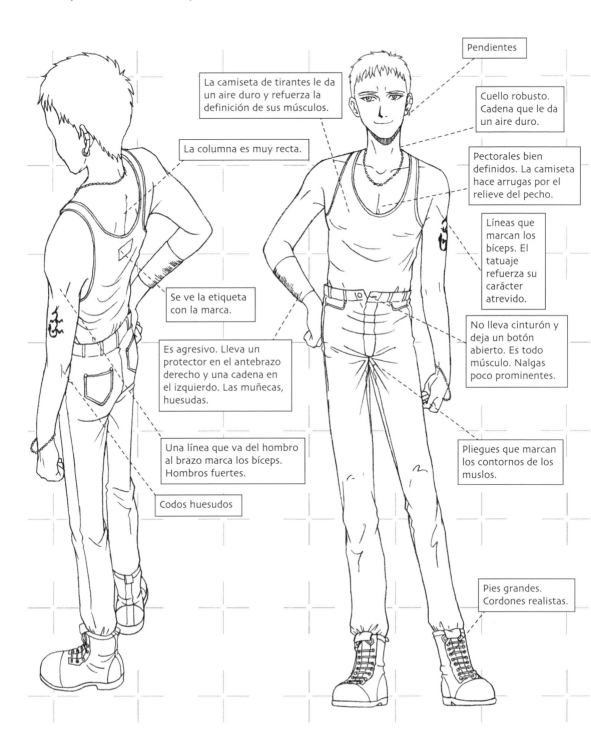

Pendientes

La camiseta de tirantes le da un aire duro y refuerza la definición de sus músculos.

Cuello robusto. Cadena que le da un aire duro.

La columna es muy recta.

Pectorales bien definidos. La camiseta hace arrugas por el relieve del pecho.

Líneas que marcan los bíceps. El tatuaje refuerza su carácter atrevido.

Se ve la etiqueta con la marca.

Es agresivo. Lleva un protector en el antebrazo derecho y una cadena en el izquierdo. Las muñecas, huesudas.

No lleva cinturón y deja un botón abierto. Es todo músculo. Nalgas poco prominentes.

Una línea que va del hombro al brazo marca los bíceps. Hombros fuertes.

Pliegues que marcan los contornos de los muslos.

Codos huesudos

Pies grandes. Cordones realistas.

Antiheroína tipo videojuego realista

Es una versión *light* de la heroína, y se le ve menos el cuerpo. En el mundo de la ciencia ficción, la ropa está hecha de tejidos elásticos que marcan el contorno del cuerpo. Las prendas tienen **diseños geométricos** de líneas rectas y círculos. Está de moda la ropa ceñida y puede quedar bien, pero hay que tener cuidado de no utilizar modelos que vayan a pasar de moda en poco tiempo. Hay que ser atrevidos en los diseños, sin que la lógica nos pare los pies.

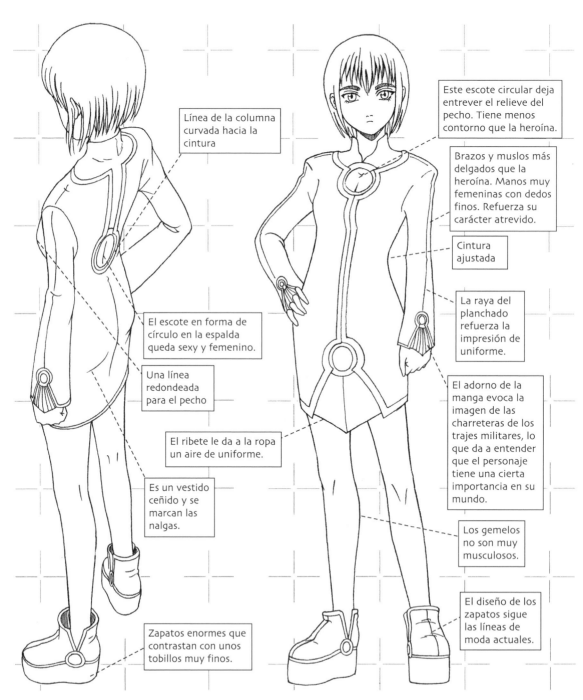

Línea de la columna curvada hacia la cintura

Este escote circular deja entrever el relieve del pecho. Tiene menos contorno que la heroína.

Brazos y muslos más delgados que la heroína. Manos muy femeninas con dedos finos. Refuerza su carácter atrevido.

Cintura ajustada

La raya del planchado refuerza la impresión de uniforme.

El escote en forma de círculo en la espalda queda sexy y femenino.

Una línea redondeada para el pecho

El adorno de la manga evoca la imagen de las charreteras de los trajes militares, lo que da a entender que el personaje tiene una cierta importancia en su mundo.

El ribete le da a la ropa un aire de uniforme.

Es un vestido ceñido y se marcan las nalgas.

Los gemelos no son muy musculosos.

El diseño de los zapatos sigue las líneas de moda actuales.

Zapatos enormes que contrastan con unos tobillos muy finos.

鈴木康由

YASUYOSHI SUZUKI

PERFIL
Nombre: Yasuyoshi Suzuki
Lugar de nacimiento: Prefectura de Shizuoka (Japón)
Fecha de nacimiento: 22 de abril de 1975
Tras estudiar una formación profesional, Suzuki se abrió camino en el mundo del diseño gráfico, en el campo de los videojuegos.

Trabajo en diseño gráfico de videojuegos. No creo estar en posición de dar consejos aún, pero me alegro de poder exponer mi punto de vista a aquellos que quieren dedicarse a la animación.

Creo que la primera vez que pensé en dedicarme a dibujar para ganarme la vida fue en el instituto.

Cuando me pongo a dibujar para divertirme, **tengo un par de ideas en mente**. En primer lugar **lo corrijo todo copiando una y otra vez mis propios dibujos**. No estoy hablando de borradores o esbozos. Estos dibujos los detallo al máximo. Creo que si redibujo algo que parece estar correcto, las ambigüedades y las distorsiones del diseño se verán mejor.

Por otra parte, es bueno **enseñar nuestros dibujos a los demás**. Es mejor que guardárselos. La opinión de los demás es un gran estímulo. Podría decir mucho más, pero creo que esto es lo más importante.

Si lo que queréis es dedicaros a dibujar como profesionales, mi consejo es que copiéis vuestros dibujos y los mostréis a los demás. Espero que esto os ayude a acercaros adonde queréis.

Capítulo CUARTO
DIBUJAR LOS DETALLES

¡SIGUE ADELANTE!

Hasta ahora hemos visto los personajes principales, pero el trabajo del cómic y de la animación no se centra en un solo personaje. Debe haber un equipo de secundarios.

A continuación veremos cómo se dibujan los personajes más importantes de ese equipo de secundarios. Hay que ser capaz de expresar la personalidad de cada uno de ellos para que tengan un interés individual.

Hay que pensar en el trasfondo personal (su pasado, sus creencias, su relación con los personajes principales, etc.) de cada uno de ellos y transmitir esa información a través del diseño del conjunto: expresiones, corte de pelo, etc.

Primero, comparemos la estatura. El protagonista suele medir un metro cincuenta aproximadamente.
1. Niño 1 m aprox.
2. Protagonistas (normal) 1'50 aprox.
3. El tipo bajo y fornido 1'40 aprox.
4. El fortachón 1'88 aprox.
5. El tipo normal 1'80 aprox.
6. La señora 1'58
7. La mujer hecha y derecha 1'40

2. El protagonista / la heroína

La estatura del tipo normal es 7 veces la longitud de la cabeza. Las piernas son más largas que en la realidad.

3. El tipo bajo y fornido

Por ejemplo, los enanos en los cuentos de fantasía épica.

1. El niño

Tiene la cabeza grande comparada con el cuerpo. Hay que cuidar la expresión para que no parezca una cara de adulto en un cuerpo de niño.

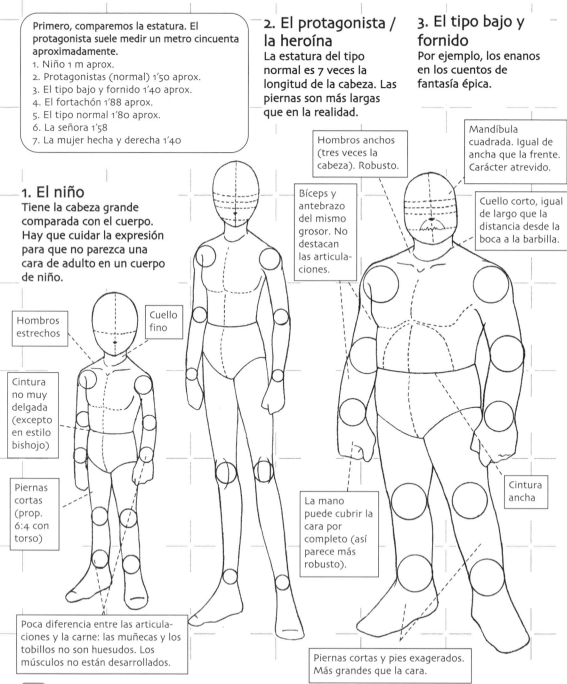

Mandíbula cuadrada. Igual de ancha que la frente. Carácter atrevido.

Hombros anchos (tres veces la cabeza). Robusto.

Bíceps y antebrazo del mismo grosor. No destacan las articulaciones.

Cuello corto, igual de largo que la distancia desde la boca a la barbilla.

Hombros estrechos

Cuello fino

Cintura no muy delgada (excepto en estilo bishojo)

Piernas cortas (prop. 6:4 con torso)

Cintura ancha

La mano puede cubrir la cara por completo (así parece más robusto).

Poca diferencia entre las articulaciones y la carne: las muñecas y los tobillos no son huesudos. Los músculos no están desarrollados.

Piernas cortas y pies exagerados. Más grandes que la cara.

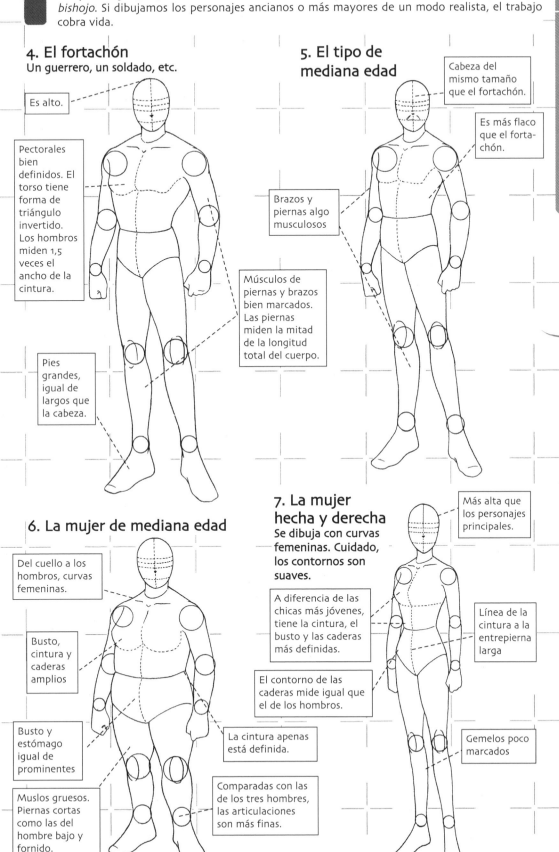

Los personajes 3 a 7 son mucho más difíciles de dibujar que los secundarios y los personajes *bishojo*. Si dibujamos los personajes ancianos o más mayores de un modo realista, el trabajo cobra vida.

4. El fortachón
Un guerrero, un soldado, etc.

Es alto.

Pectorales bien definidos. El torso tiene forma de triángulo invertido. Los hombros miden 1,5 veces el ancho de la cintura.

Pies grandes, igual de largos que la cabeza.

Músculos de piernas y brazos bien marcados. Las piernas miden la mitad de la longitud total del cuerpo.

5. El tipo de mediana edad

Cabeza del mismo tamaño que el fortachón.

Es más flaco que el fortachón.

Brazos y piernas algo musculosos

6. La mujer de mediana edad

Del cuello a los hombros, curvas femeninas.

Busto, cintura y caderas amplios

Busto y estómago igual de prominentes

Muslos gruesos. Piernas cortas como las del hombre bajo y fornido.

La cintura apenas está definida.

Comparadas con las de los tres hombres, las articulaciones son más finas.

7. La mujer hecha y derecha
Se dibuja con curvas femeninas. Cuidado, los contornos son suaves.

A diferencia de las chicas más jóvenes, tiene la cintura, el busto y las caderas más definidas.

El contorno de las caderas mide igual que el de los hombros.

Más alta que los personajes principales.

Línea de la cintura a la entrepierna larga

Gemelos poco marcados

4-2 DIBUJAR LOS DETALLES

Estatura de los personajes secundarios

Estatura de los personajes secundarios
Ya conocemos a todos los personajes principales y su estatura, con lo cual tenemos ya una idea de la estatura que tendrán los personajes secundarios.

Los buenos

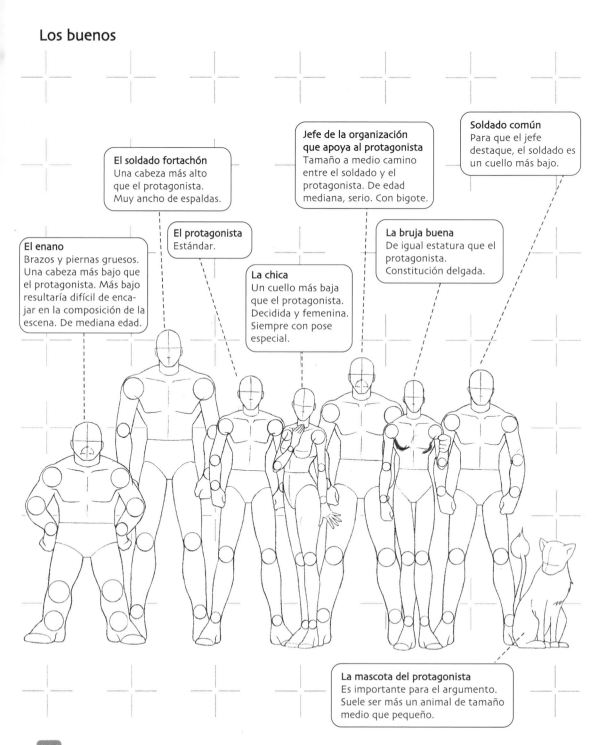

El soldado fortachón
Una cabeza más alto que el protagonista. Muy ancho de espaldas.

Jefe de la organización que apoya al protagonista
Tamaño a medio camino entre el soldado y el protagonista. De edad mediana, serio. Con bigote.

Soldado común
Para que el jefe destaque, el soldado es un cuello más bajo.

El protagonista
Estándar.

La bruja buena
De igual estatura que el protagonista. Constitución delgada.

El enano
Brazos y piernas gruesos. Una cabeza más bajo que el protagonista. Más bajo resultaría difícil de encajar en la composición de la escena. De mediana edad.

La chica
Un cuello más baja que el protagonista. Decidida y femenina. Siempre con pose especial.

La mascota del protagonista
Es importante para el argumento. Suele ser más un animal de tamaño medio que pequeño.

Los malos

El líder de los malos
Cabezota. Hombros más estrechos que los del soldado fortachón de los buenos.

La chica mala
Actitud dominadora que no corresponde al género. Algo más alta que el protagonista.

El monstruo
Manos y pies enormes para que impresione más.

El consejero del malo: la bruja mala (personaje 2)
Mismo tamaño que la bruja buena, pero más femenina.

El consejero del malo: el hechicero (personaje 1)
Un anciano encorvado.

El espía del malo
Aspecto de mono (bajito con los brazos largos). Se mueve como un ninja.

Malo número 2
Media cabeza más alto que el bueno, pero más bajo que el jefe de los malos. Atractivo.

La mascota del malo
No tiene mucha importancia. Suele indicar el refinamiento de lo malvado.

En el capítulo anterior analizamos un poco el corte de pelo de cada personaje; sin embargo, el pelo de un personaje cambiará en **función de la historia y de acuerdo con las distintas personalidades que estén implicadas.**

La siguiente colección de cortes de pelo no es definitiva. **Los protagonistas llevan peinados sorprendentemente conservadores.** El pelo debería ir acorde a las expectativas de los lectores/espectadores y, para evitar los extremos en su reacción (es decir, el amor y el odio), es mejor que no sean raros. Es fácil decidir qué pelo ponerle a un personaje secundario, pero no a un protagonista. **Tiene que ser normal y al mismo tiempo llamativo.** Incluso a los profesionales les cuesta llegar a alguna decisión a este respecto.

Lo importante del pelo no es la forma del peinado, sino la **posiblidad de aplicarle color**. Ya sea a mano o con el ordenador, los profesionales **utilizan líneas para dividir el pelo en áreas de distintas tonalidades**.

Los aficionados empiezan dibujando los mechones del pelo, y terminan con el contorno. Los profesionales, sin embargo, piensan antes en **la estructura global** del pelo. Después lo dividen en mechones mediante líneas. Precisamente mediante el **sombreado y los tonos de color por áreas** se varían los mechones y la forma del pelo. Es recomendable que, para peinar a tus personajes, te inspires en tus trabajos favoritos y en los dibujos que te parezcan buenos, y empieces a dibujarlos.

Perfeccionar el dibujo de los ojos es muy importante. Ya hemos dicho que el diseño del cuerpo es **información subliminal**. A muchos les resulta más interesante el **diseño de los ojos** o del pelo que el del cuerpo. Sin embargo, cuando el **diseño del cuerpo no funciona**, el dibujo no tiene gancho y la gente suele acabar pensando que no es del todo convincente.

Los ojos son la ventana del alma, ya sea en un ser humano, en un cómic o en un dibujo animado. A esto se le llama **información explícita**. Sin duda, en lo que más nos fijamos al dibujar es en los ojos. Puede que hayas intentado dibujar muchos ojos y que, aun así, te salga **una forma rara**.

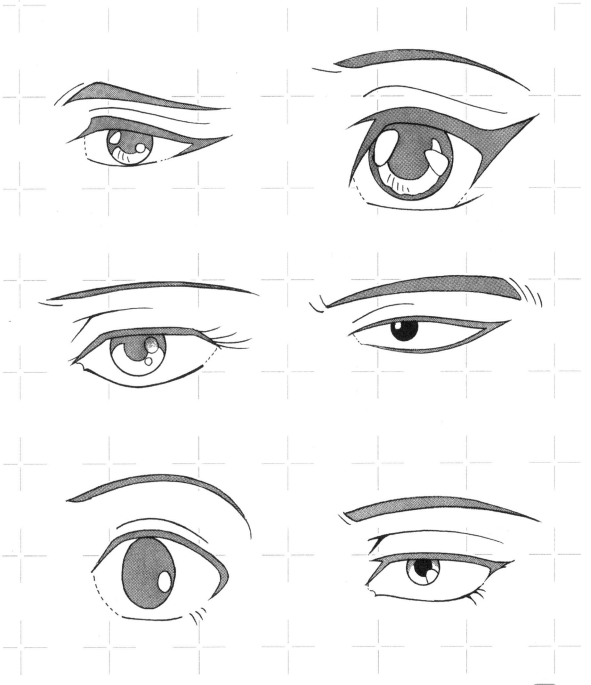

A continuación explicaremos **algunas nociones para dibujar los ojos más comunes en animación y en cómic**. No hay mejor ni peor diseño. El problema con los ojos es que, a pesar de que de frente nos salen perfectos, cuando el ángulo de la cara cambia ya no nos salen. Es muy divertido decidir el color, el número de pestañas o si los brillos serán redondos o cuadrados. Pero no hay que caer en el error de desatender la forma por todo esto. **El problema más difícil que te vas a encontrar** es no saber dibujar el ojo cuando cambia **el ángulo de la cara**.

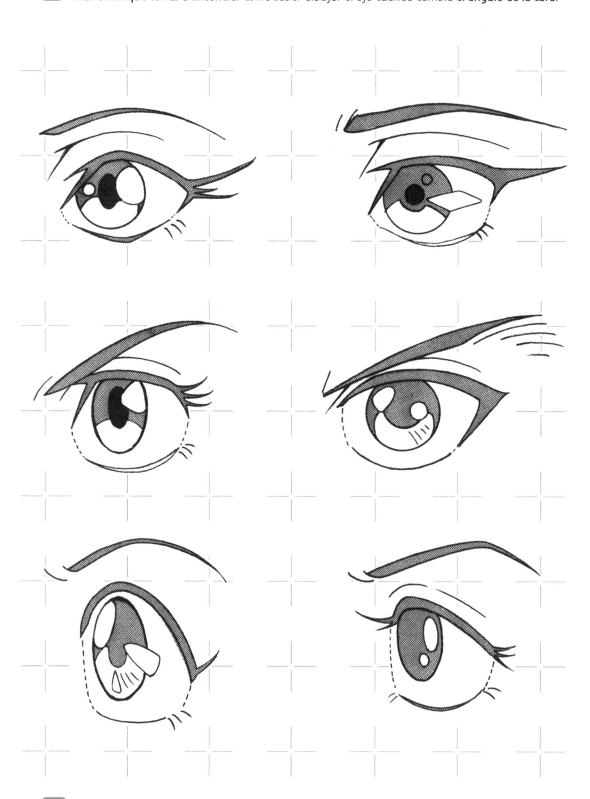

1: Primero el contorno

Aquí vemos varios contornos posibles. Son las formas de los ojos que han aparecido en las páginas anteriores. Antes de dibujar los detalles de los ojos, hay que tener en cuenta que quien mire el dibujo va a procesar esta información inconscientemente. Igual que para el cuerpo, es esencial dibujar borradores y esquemas de los ojos. Imagina que los ojos son un conjunto de ángulos, como el cuerpo. Fíjate en los esquemas siguientes y piensa en cómo se componen. Fíjate en las formas, en los triángulos, las curvas o los rombos que describe el contorno.

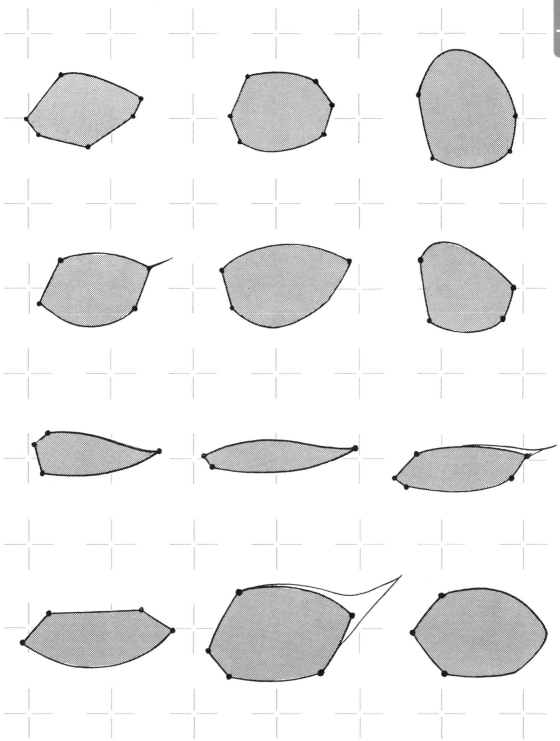

2: Encajar los polígonos

Intenta encajar la forma de los ojos en la parte del rostro que se considera un polígono (una caja). Decide la posición de los ojos sin pensar en los detalles como las pestañas o los brillos. Cuando el ángulo cambie, dibuja el contorno del ojo como si fuera una cara del polígono. No son tan difíciles de dibujar si te los representas como te representarías una caja.

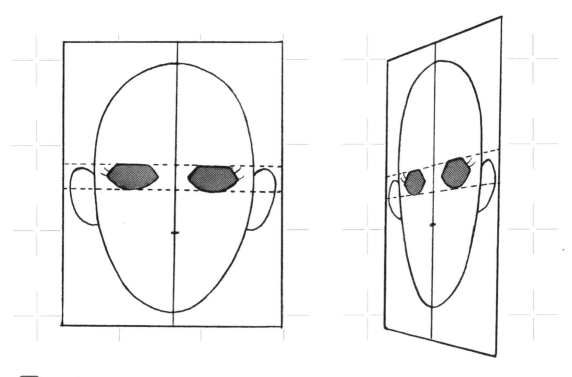

3: El iris

Ya has decidido el ángulo y dibujado el contorno. Ahora podemos empezar con el iris. Aquí es donde "pensar en polígonos" se convierte en "pensar en curvas". Tienes que dominar el dibujo del iris de frente.

ASÍ TRA-BAJAN LOS PROFESIO-NALES.

Y PARA ELLOS ES CUESTIÓN DE SEGUNDOS.

Las manos y los pies son difíciles de dibujar porque tienen formas complicadas. El primer paso es dibujarlos como cubos.

1. Dibuja los tobillos, las articulaciones y los lados (parte sombreada).

2. Añade la cavidad de la planta y el empeine.

3. Retoca el contorno con líneas suaves y curvas.

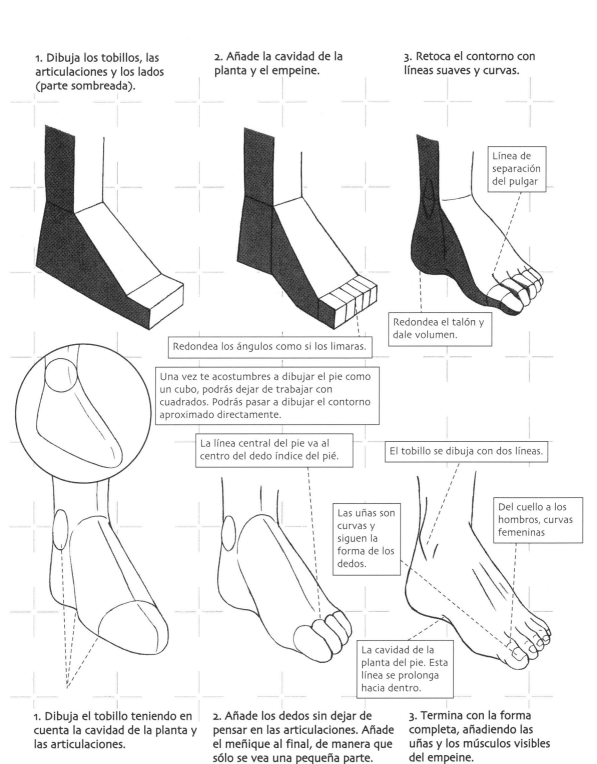

Línea de separación del pulgar

Redondea el talón y dale volumen.

Redondea los ángulos como si los limaras.

Una vez te acostumbres a dibujar el pie como un cubo, podrás dejar de trabajar con cuadrados. Podrás pasar a dibujar el contorno aproximado directamente.

La línea central del pie va al centro del dedo índice del pié.

El tobillo se dibuja con dos líneas.

Las uñas son curvas y siguen la forma de los dedos.

Del cuello a los hombros, curvas femeninas

La cavidad de la planta del pie. Esta línea se prolonga hacia dentro.

1. Dibuja el tobillo teniendo en cuenta la cavidad de la planta y las articulaciones.

2. Añade los dedos sin dejar de pensar en las articulaciones. Añade el meñique al final, de manera que sólo se vea una pequeña parte.

3. Termina con la forma completa, añadiendo las uñas y los músculos visibles del empeine.

Estudio de los pies: variación 1

La planta del pie se utiliza en escenas en las que el personaje está arrodillado, o sentado con los pies cruzados o dando una patada de frente en una escena de acción. Practica con las posturas siguientes.

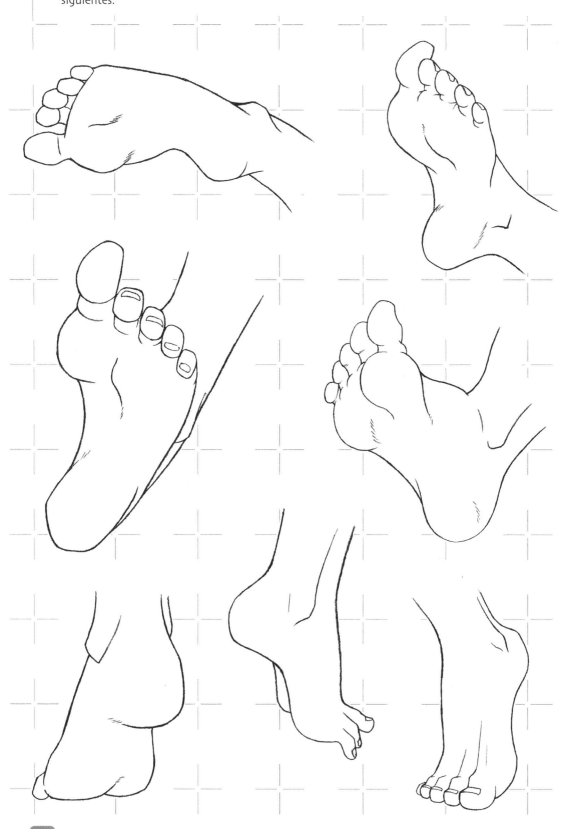

Estudio de los pies: variación 2

A continuación, unos planos del pie bastante comunes y unos giros no tan frecuentes.

Planos comunes

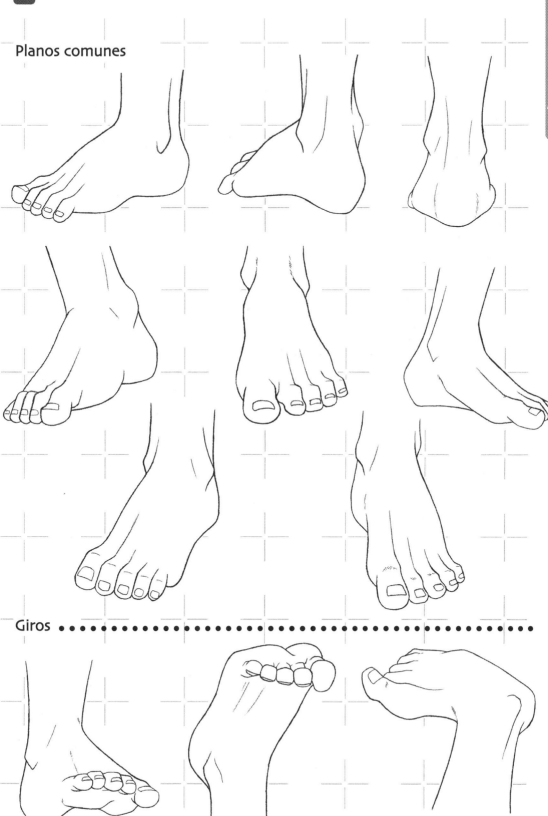

Giros •••

Los detalles: las manos

La mano es la prueba del nivel de evolución al que ha llegado el ser humano. Los chimpacés y los gorilas pueden coger cosas con las manos, pero no las tienen tan desarrolladas.

La razón por la que dibujar los dedos no resulta tarea fácil es que cada uno de ellos tiene distintas articulaciones, y todas de longitudes distintas. La forma más rápida de mejorar es dibujar la propia mano. Otro método efectivo es copiar dibujos que te hagan pensar: "¿Cómo demonios consiguieron dibujar esto en un ángulo tan difícil?".

1. Dibuja la muñeca, las articulaciones de detrás de la mano y los lados (la parte sombreada).

2. Imagina el aspecto de cada articulacion y de cada dedo. El meñique es diferente. Compruébalo mirando tus propios dedos.

3. Ahora cambia la forma general de la mano, redondeando las formas cúbicas. Arregla los detalles como los nudillos y el grosor de la palma de la mano.

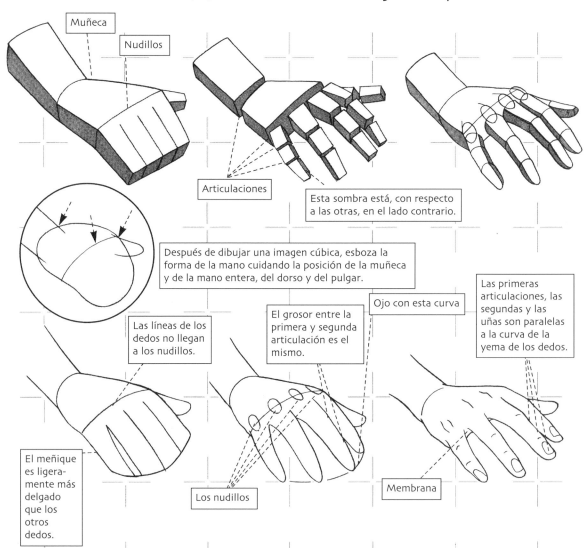

Muñeca

Nudillos

Articulaciones

Esta sombra está, con respecto a las otras, en el lado contrario.

Después de dibujar una imagen cúbica, esboza la forma de la mano cuidando la posición de la muñeca y de la mano entera, del dorso y del pulgar.

Las líneas de los dedos no llegan a los nudillos.

El grosor entre la primera y segunda articulación es el mismo.

Ojo con esta curva

Las primeras articulaciones, las segundas y las uñas son paralelas a la curva de la yema de los dedos.

El meñique es ligeramente más delgado que los otros dedos.

Los nudillos

Membrana

1. Dibuja las líneas de los dedos. Imagina su forma real y dibuja el meñique un poco separado del resto.

2. Añade los nudillos, y da forma a los dedos. El grosor entre el primer nudillo y el segundo es igual, pero los otros quedan más separados. El pulgar mira hacia fuera.

3. Detalla la forma de los dedos, da relieve a las falanges, retoca las uñas y no olvides la membrana.

Estudio de las manos: variaciones

A continuación tenemos un conjunto de planos comunes de las manos. Practica estas posturas tanto para la mano derecha como para la izquierda.

Puño cerrado

Mano extendida •

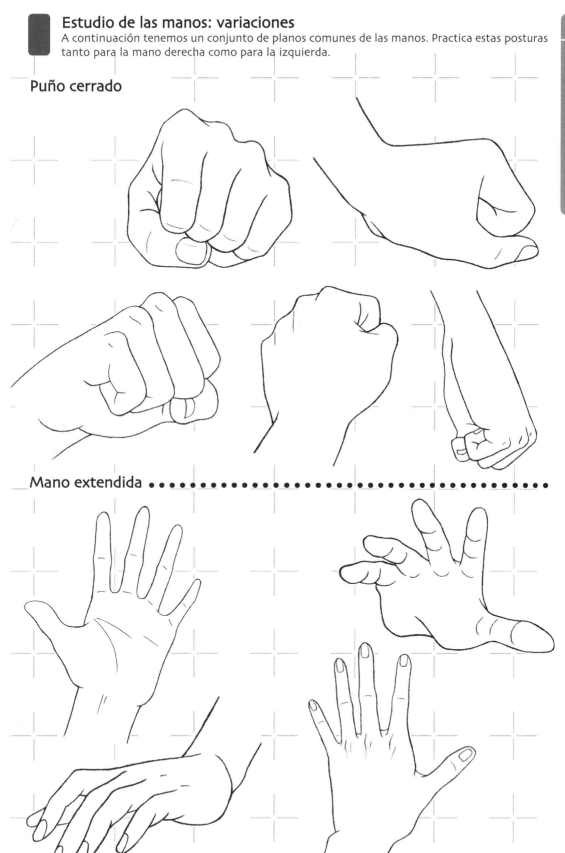

Estudio de las manos: variaciones

Poses significativas

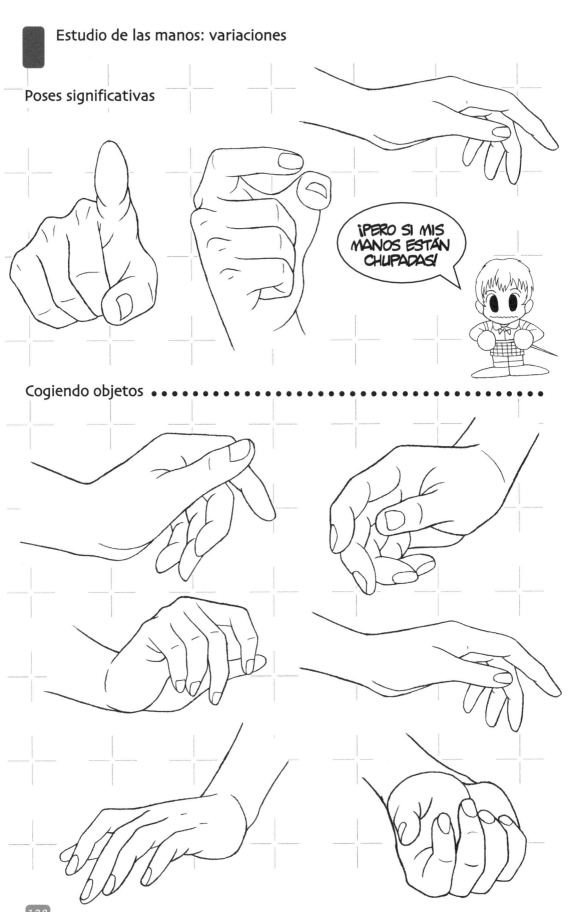

¡PERO SI MIS MANOS ESTÁN CHUPADAS!

Cogiendo objetos •••

Crear una escena

Crea una **escena con varios personajes que sea relevante para el argumento**. Ésta es la parte más interesante del proceso, porque te conviertes en director de cine: tienes que decirle a cada uno de tus personajes dónde quieres que se ponga. ¿Te has preguntado alguna vez si estás transmitiendo a la gente lo que quieres a través de tu trabajo? Pues a continuación tenemos una introducción a la **composición profesional y su influencia en la escena**. Pero no pienses que es un catálogo definitivo de escenas: simplemente úsalo como apoyo.

Fantasía épica

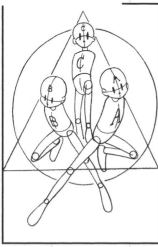

El **personaje A**, un caballero, está empuñando la espada. El **personaje B, un guerrero**, alza el puño. El **C, el brujo**, sostiene su varita mágica por encima de la cabeza. En esta composición, los personajes tienen posturas muy activas y el movimiento surge del centro hacia fuera.

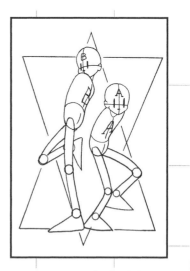

Una aventura con un **dúo de caballero A y mago B**. La composición muestra el movimiento de los dos personajes principales. La composición general tiene forma de estrella.

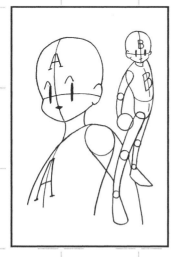

Una historia de una muchacha con poderes mágicos. La heroína es una estudiante de primaria (A). Mediante sus poderes mágicos, se transforma en una chica de 20 años (B). La composición consta de un plano medio grande de la niña (A) con una imagen de cuerpo entero de la chica (B).

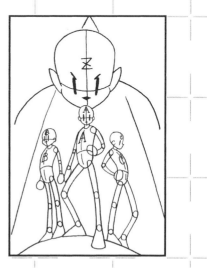

Una historia de acción con ninjas. Los tres personajes principales A, B y C, luchan utilizando las sigilosas técnicas ninja. Son una fuerza unida contra el líder enemigo Z. La composición muestra a Z en una pose amenazadora en segundo plano, por encima de A, B y C. La escena evoca una sensación de opresión.

Fantasía heroica

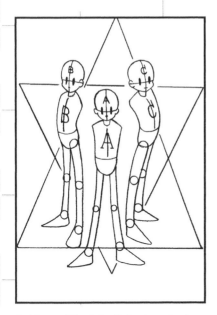

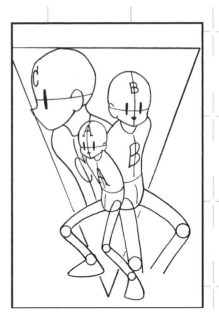

Un trío con el líder A. A está situado en el centro, que es la composición más común. **Es un clásico.**

Esta historia está protagonizada por un trío compuesto por el **héroe A, el enemigo B y la heroína C**. En esta composición, cuanto más lejos están los personajes, más grandes se ven: A aparece de cuerpo entero, B en un plano americano y C en un plano medio.

Deportes

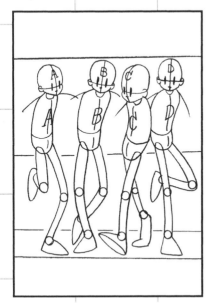

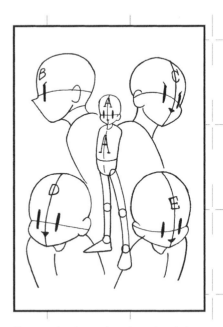

C es el protagonista, que juega con el **equipo de fútbol del instituto**. En el partido, C marca un gol y los otros jugadores se acercan a felicitarlo. Cada personaje se mueve en respuesta a la situación. Están todos situados sobre la misma línea horizontal, pero la composición expresa movimiento.

El protagonista A es un deportista y tiene rivales: B, C, D y E. **La historia es la lucha** que se entabla entre ellos. En la composición, tenemos a A de cuerpo entero en el centro, y los demás personajes en plano medio.

Grupos y organizaciones

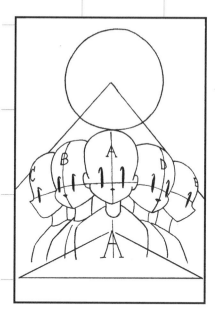

Una historia policíaca. A es un poli peligroso con 20 años de experiencia. Trabaja con B, que lleva sólo 10 años en la casa, con el novato C y la chica D, que tiene 5 años de experiencia pero es joven aún y E, que lleva más de 30 años en la profesión. Vista desde arriba, la composición de los cinco personajes, en plano medio, es triangular.

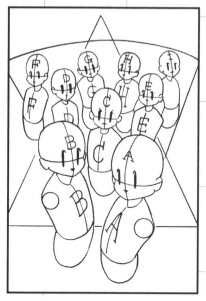

Una historia de lucha. El personaje A es un estudiante que nunca pierde un combate. Los otros son la chica B que va a la misma escuela y también lucha; el capitán del equipo de Kendo C; D, del equipo de judo; E, del equipo de kárate y F del equipo de sumo, etc. La lucha se desarrolla en el colegio, y aparecen distintas técnicas de combate. Es una composición complicada con forma de estrella para el grupo de diez personajes, en perspectiva.

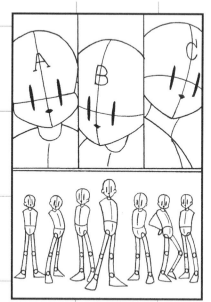

Una historia de un grupo musical. Es la historia de un grupo de música de 7 chicos. El protagonista, D, se encuentra en el centro, abajo. En la mitad superior, hay primeros planos de la hermana pequeña del protagonista, A de su novia, B y de su manager, C. La historia se desarrolla en torno a los tres personajes relacionados con el protagonista. La pantalla se divide en dos, y en la parte de arriba se ven planos cortos de los tres personajes.

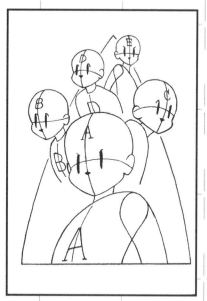

Una saga. El protagonista o la protagonista A quiere unir al mundo y B le está ayudando. C está mirando hacia el enemigo. El equipo de personajes principales suele ser complicado (por ejemplo, uno de los malos puede caer bien al público y ser clasificado como protagonista). La composición es un triángulo con A en la base.

Una historia futurista

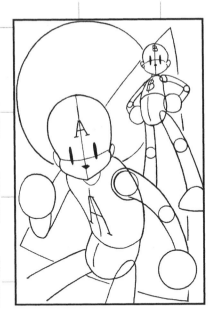

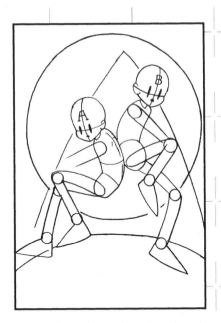

Una historia futurista. El androide A es el protagonista, que ha perdido la memoria. El androide B conoce el pasado de A. La composición muestra a A de medio plano y a B de cuerpo entero. El esquema de la escena se resume en un triángulo y un círculo.

Una comedia con dos gemelos, A y B, en el espacio exterior (aunque no todo son carcajadas). La composición muestra a los dos protagoinistas sentados y mirando al frente.

Historias de amor

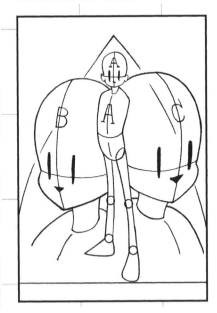

Una historia de amor. Un chico de 17 años, A, se encuentra con una compañera de clase diez años después. Pero A tiene novia: C. Se establece un triángulo amoroso. A está en el centro y los rostros de B y C en planos cortos a un lado y al otro.

Una historia de amor. Una antología con tres chicas: A, B y C. Las tres aparecen de busto para arriba, y cada una mira hacia un lugar distinto.

Cuando domines las composiciones básicas que aparecen en el libro, tienes que aprender a dibujar a tus personajes desde cualquier ángulo. No puede ser que sacrifiques una composición que le vaya bien a tu historia, porque tu nivel no llega para representar un plano concreto. No puedes rendirte. De manera que empieza a practicar la cara vista desde diferentes ángulos con los dibujos siguientes. Cuando los domines, puedes empezar a trabajar en tu animación o videojuego.

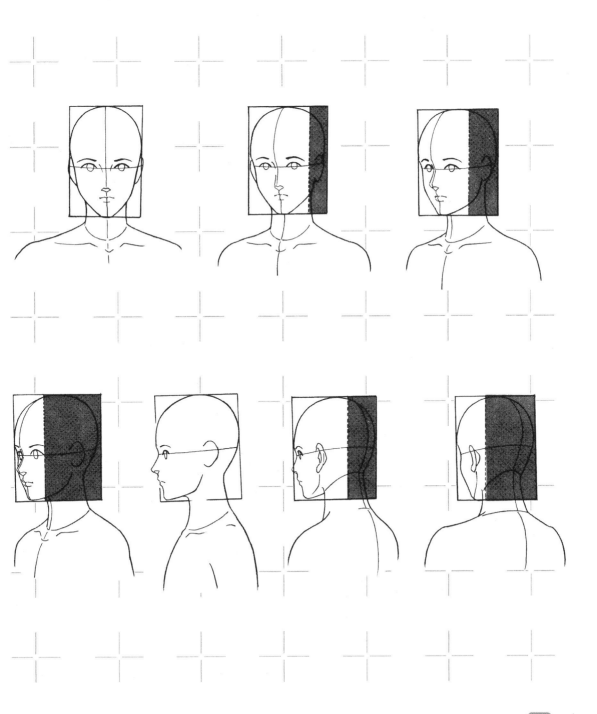

Por último, os proponemos echar un vistazo a estos trabajos de estudiantes de animación y manga. Junto a sus trabajos hay una versión corregida y una lista de críticas profesionales. Te ayudarán a encontrar los puntos clave cuando dibujes a tus personajes.

COMPARA TODO ESTO CON TUS DIBUJOS.

Revisar

-El protector del brazo es de diseño dudoso y el personaje no es tridimensional. Cambia el diseño y sombrea para dar volumen.
-El arma parece poco sólida. Hay que corregir la forma y dibujarla con líneas decididas, para dar impresión de pesadez y dureza.
-El pelo y la ropa están un poco descuidados. Hay que poner arrugas en la ropa.
-La postura está desequilibrada. Entre el arma y el protector, parece que el peso esté demasiado centrado a la derecha. Corrige esto y dibuja al personaje bien derecho.

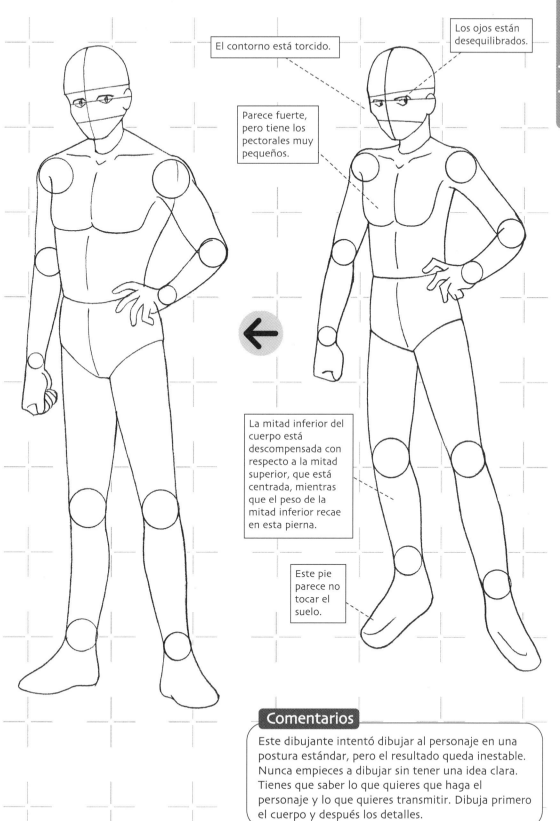

El contorno está torcido.

Los ojos están desequilibrados.

Parece fuerte, pero tiene los pectorales muy pequeños.

La mitad inferior del cuerpo está descompensada con respecto a la mitad superior, que está centrada, mientras que el peso de la mitad inferior recae en esta pierna.

Este pie parece no tocar el suelo.

Comentarios

Este dibujante intentó dibujar al personaje en una postura estándar, pero el resultado queda inestable. Nunca empieces a dibujar sin tener una idea clara. Tienes que saber lo que quieres que haga el personaje y lo que quieres transmitir. Dibuja primero el cuerpo y después los detalles.

Revisar

-Los pies son un poco bastos. Hay que detallarlos más.
-Los brazos quedan sosos: completalos con pulseras.
-El estampado del vestido tiene que curvarse sobre el pecho y a la altura de las caderas.
-Faltan detalles en el vestido.
-Los pliegues que forma el bajo del vestido no quedan bien. Hay que dibujarlos a intervalos regulares.

Comentarios

El centro de gravedad del personaje está desplazado (ver ej. 1) y tiene un aspecto inestable. Es importante considerar cómo se adapta el personaje a la escena y en qué postura aparecerá. Asegúrate de que tienes estas ideas claras antes de ponerte a dibujar detalles. De lo contrario, transmitirás información incorrecta. Por ejemplo, fíjate en el personaje de abajo: la versión corregida muestra una postura confiada, pero en el original parece inquieta, como si se escondiera de algo.

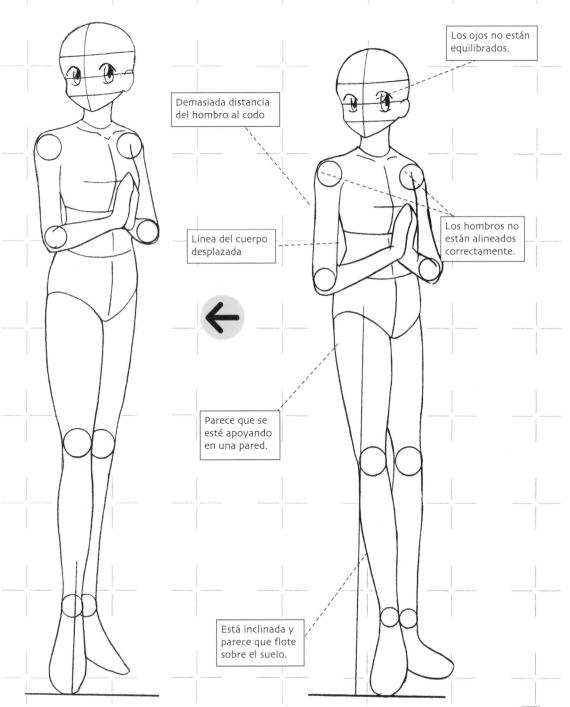

Los ojos no están equilibrados.

Demasiada distancia del hombro al codo

Los hombros no están alineados correctamente.

Línea del cuerpo desplazada

Parece que se esté apoyando en una pared.

Está inclinada y parece que flote sobre el suelo.

Revisar

-Las piernas tienen un aspecto raro. Hay que redibujarlo desde cero.
-La ropa es muy original: tómate tiempo para desarrollarla mejor y dibujar más detalles.
-Los músculos no están mal, pero queda más real marcarlos con trazos cortos en lugar de con una sola línea.

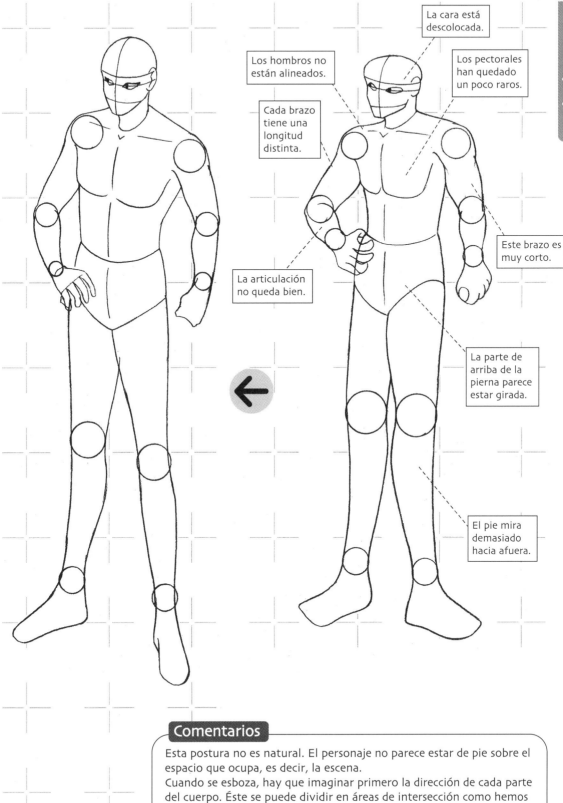

La cara está descolocada.

Los hombros no están alineados.

Los pectorales han quedado un poco raros.

Cada brazo tiene una longitud distinta.

Este brazo es muy corto.

La articulación no queda bien.

La parte de arriba de la pierna parece estar girada.

El pie mira demasiado hacia afuera.

Comentarios

Esta postura no es natural. El personaje no parece estar de pie sobre el espacio que ocupa, es decir, la escena.
Cuando se esboza, hay que imaginar primero la dirección de cada parte del cuerpo. Éste se puede dividir en áreas de intersección como hemos visto anteriormente. Ningún ser humano podría estar de pie con las piernas en esa posición. Parecen enroscadas.

Revisar

-La cara está más o menos bien dispuesta, sólo son necesarios unos pequeños retoques.
-Hay que dibujar la oreja derecha, aunque sólo se vea una pequeña parte.
-Aquí falta práctica en dedos y manos.
-Atención al volumen del traje. El pecho derecho está bien, pero parece que no haya nada a la izquierda. Se puede sombrear para marcar los pechos.
-Hay que suavizar el movimiento del pelo y del tejido flotando en el aire.
-Si se sombrea el interior de las mangas, el tejido parecerá más consistente.
-Quedaría mejor con brillos en el pelo. Además, si no se separa en varios mechones, parece seco y castigado.
-Los calentadores tienen demasiadas arrugas.

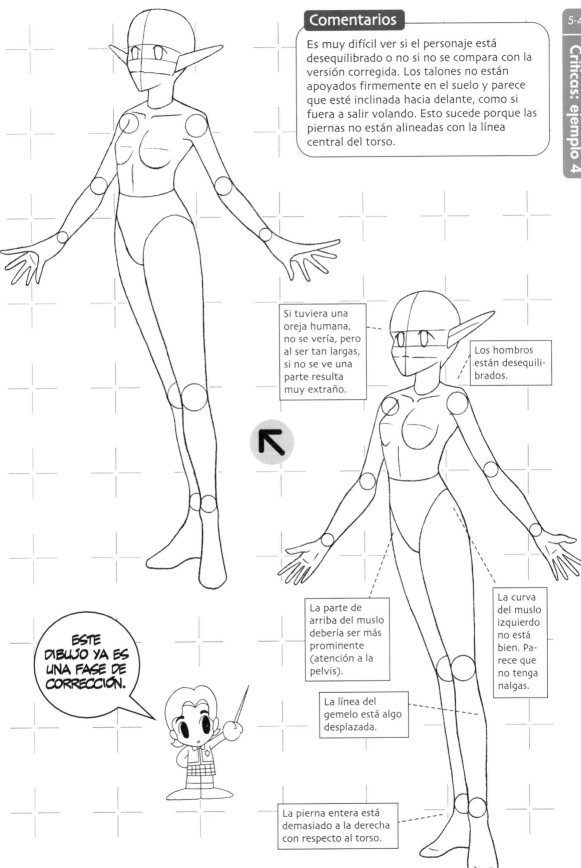

Comentarios

Es muy difícil ver si el personaje está desequilibrado o no si no se compara con la versión corregida. Los talones no están apoyados firmemente en el suelo y parece que esté inclinada hacia delante, como si fuera a salir volando. Esto sucede porque las piernas no están alineadas con la línea central del torso.

Si tuviera una oreja humana, no se vería, pero al ser tan largas, si no se ve una parte resulta muy extraño.

Los hombros están desequilibrados.

ESTE DIBUJO YA ES UNA FASE DE CORRECCIÓN.

La parte de arriba del muslo debería ser más prominente (atención a la pelvis).

La curva del muslo izquierdo no está bien. Parece que no tenga nalgas.

La línea del gemelo está algo desplazada.

La pierna entera está demasiado a la derecha con respecto al torso.

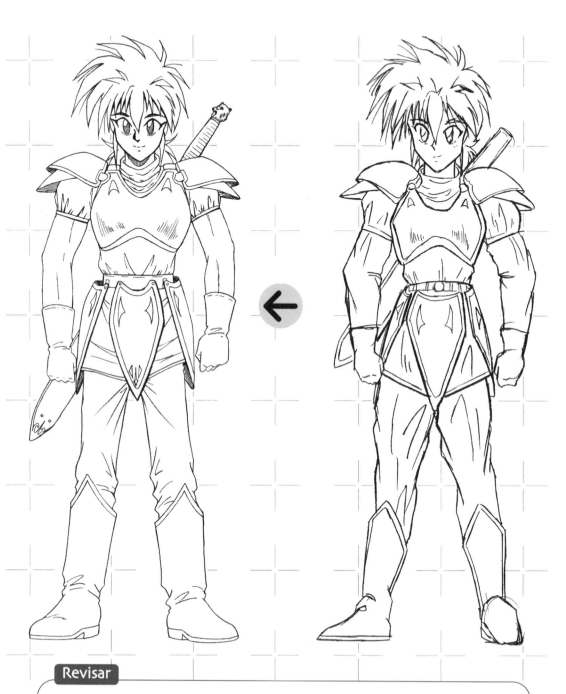

Revisar

-Le falta volumen a la nariz.
-La armadura no parece tridimensional. Ni siquiera parece que la lleve puesta. Dibuja los contornos y sombrea para darle volumen.
-Hay demasiadas arrugas innecesarias en la ropa y faltan donde sí son necesarias. En este personaje, es más importante una silueta lograda que poner muchos pliegues.
-La espada que lleva a la espalda es confusa. Hay que prestarle más atención, puesto que es un símbolo del personaje.

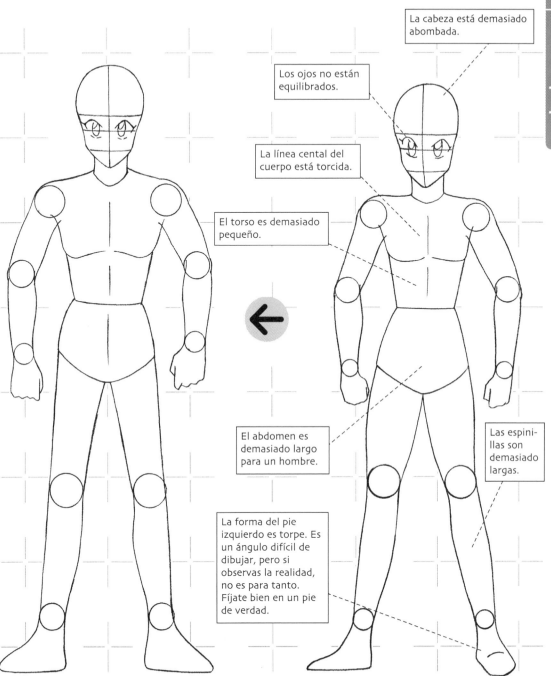

La cabeza está demasiado abombada.

Los ojos no están equilibrados.

La línea central del cuerpo está torcida.

El torso es demasiado pequeño.

Las espinillas son demasiado largas.

El abdomen es demasiado largo para un hombre.

La forma del pie izquierdo es torpe. Es un ángulo difícil de dibujar, pero si observas la realidad, no es para tanto. Fíjate bien en un pie de verdad.

Comentarios

Es difícil hacer que este tipo de postura tan sencillo parezca tridimensional. El dibujo original parece un muñeco de papel, porque todas las líneas son del mismo grosor y todo es demasiado simétrico. Cuando dibujamos los brazos, se supone que las curvas interiores y exteriores tienen que ser diferentes. Pero en este dibujo son simétricas y se pierde todo sentido de realismo. Borra de tu mente la idea de que las piernas son más gruesas que los brazos y los muslos más gruesos que los gemelos. En un personaje musculoso como éste, la parte más ancha del gemelo sería igual de ancha que uno de sus muslos.

Revisar

-Hay líneas que no significan nada en los gemelos y en los muslos. Por muy atlética que sea la chica, esto es pasarse.

-Atención a la dirección de los brazos y del dorso de la mano. Ponte delante de un espejo y fíjate en cómo quedan las poses que dibujas.

-Comparado con el torso, de cintura para abajo la chica está muy escasa de detalles.

-Puesto que el diseño es sencillo, hay que darle el ambiente deseado al dibujo. Las líneas de pliegues no deben ser puntiagudas.

-Si se colorea el flequillo, queda un dibujo muy agresivo. Es mejor dividir el pelo desde arriba y que los mechones queden despegados.

-La pose tiene que ser más atrevida. El original se queda a medias.

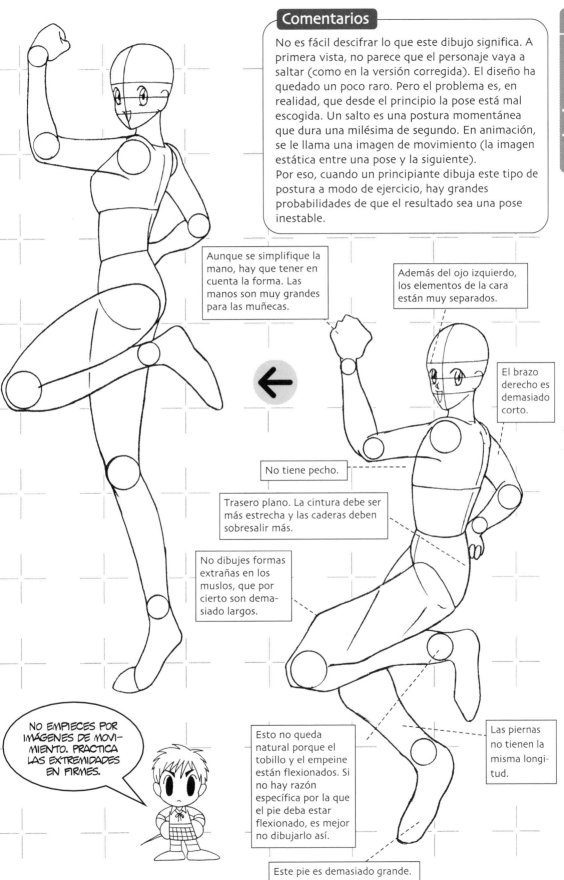

Comentarios

No es fácil descifrar lo que este dibujo significa. A primera vista, no parece que el personaje vaya a saltar (como en la versión corregida). El diseño ha quedado un poco raro. Pero el problema es, en realidad, que desde el principio la pose está mal escogida. Un salto es una postura momentánea que dura una milésima de segundo. En animación, se le llama una imagen de movimiento (la imagen estática entre una pose y la siguiente).

Por eso, cuando un principiante dibuja este tipo de postura a modo de ejercicio, hay grandes probabilidades de que el resultado sea una pose inestable.

Aunque se simplifique la mano, hay que tener en cuenta la forma. Las manos son muy grandes para las muñecas.

Además del ojo izquierdo, los elementos de la cara están muy separados.

El brazo derecho es demasiado corto.

No tiene pecho.

Trasero plano. La cintura debe ser más estrecha y las caderas deben sobresalir más.

No dibujes formas extrañas en los muslos, que por cierto son demasiado largos.

NO EMPIECES POR IMÁGENES DE MOVIMIENTO. PRACTICA LAS EXTREMIDADES EN FIRMES.

Esto no queda natural porque el tobillo y el empeine están flexionados. Si no hay razón específica por la que el pie deba estar flexionado, es mejor no dibujarlo así.

Las piernas no tienen la misma longitud.

Este pie es demasiado grande.

Revisar

-Parece que el autor no tuviera la intención de dibujar al personaje cogiendo la pistola; se le ocurrió despues. Si vas a utilizar objetos para reforzar la personalidad de un personaje, tienes que planificarlo desde el principio.

-No es muy normal llevar una pistola cuando ya hay otra en la pistolera. Es muy difícil dibujar a una persona con una pistola en la mano, así que mejor dibújala en la pistolera.

-El corte de pelo no queda bien. Tiene que ser más nítido.

-La pistolera y el cinturón no están suficientemente detallados. Especialmente, la pistolera es un accesorio importante, así que comprueba que la tienes dominada.

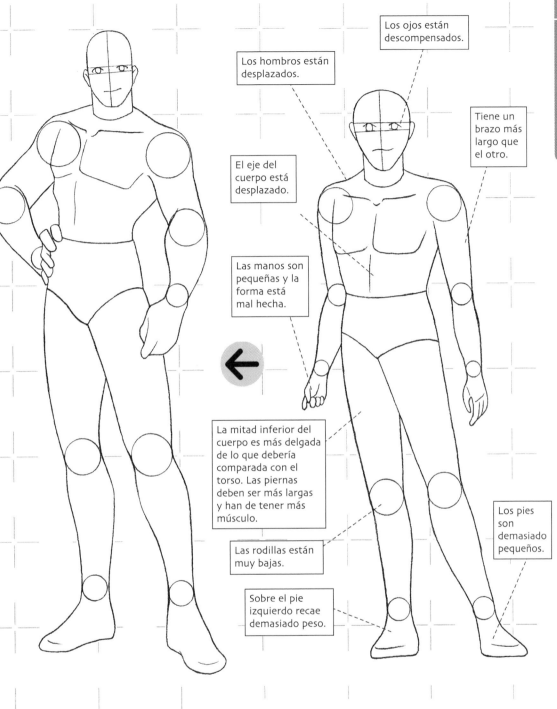

Los ojos están descompensados.

Los hombros están desplazados.

Tiene un brazo más largo que el otro.

El eje del cuerpo está desplazado.

Las manos son pequeñas y la forma está mal hecha.

La mitad inferior del cuerpo es más delgada de lo que debería comparada con el torso. Las piernas deben ser más largas y han de tener más músculo.

Los pies son demasiado pequeños.

Las rodillas están muy bajas.

Sobre el pie izquierdo recae demasiado peso.

Comentarios

En líneas generales, el dibujo queda forzado. El cuerpo es pequeño en comparación con la cabeza. Los japoneses suelen tener las proporciones corporales así, pero el autor probablemente quería dibujar a un tipo duro, en cuyo caso tendría que haber dibujado un cuerpo de 9 cabezas de altura, en el que la distancia entre los hombros fuese tres veces el ancho de la cabeza.

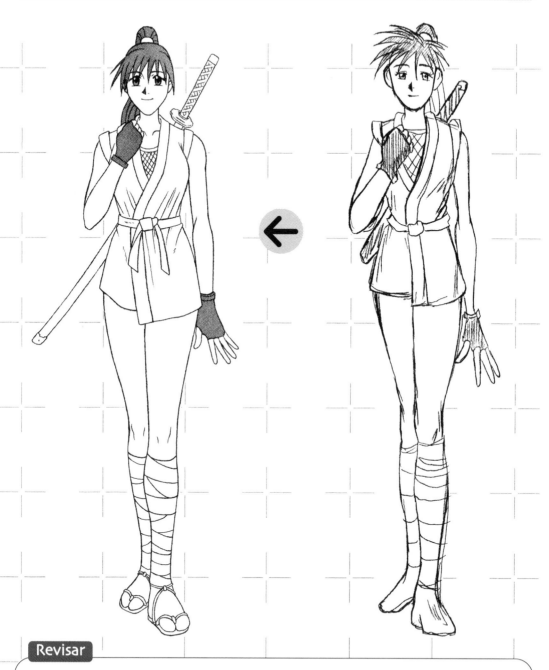

Revisar

-Hay que decir que la espada va colgada a la espalda con tirantes, que se han omitido porque quedaría demasiado recargado.

-La espada es importante y se tiene que ver más.

-El pelo parece demasiado fino. Existe ese peinado en pinchos, pero la versión corregida le va mejor al personaje.

-La expresión del rostro es confusa. No se sabe si está triste o contenta, cuando éste es un tipo de personaje que adopta una u otra expresión claramente. Además, la expresión triste sería incoherente con un ademán tan valiente y decidido como éste.

-La cinta tiene que tener los cabos colgando. Las cintas de las piernas no están bien dibujadas.

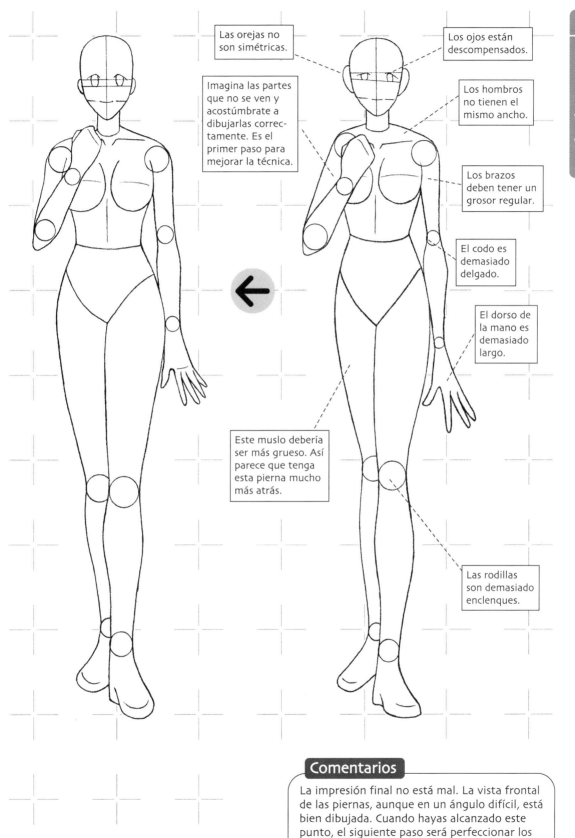

Las orejas no son simétricas.

Los ojos están descompensados.

Imagina las partes que no se ven y acostúmbrate a dibujarlas correctamente. Es el primer paso para mejorar la técnica.

Los hombros no tienen el mismo ancho.

Los brazos deben tener un grosor regular.

El codo es demasiado delgado.

El dorso de la mano es demasiado largo.

Este muslo debería ser más grueso. Así parece que tenga esta pierna mucho más atrás.

Las rodillas son demasiado enclenques.

Comentarios

La impresión final no está mal. La vista frontal de las piernas, aunque en un ángulo difícil, está bien dibujada. Cuando hayas alcanzado este punto, el siguiente paso será perfeccionar los detalles. Exagerar demasiado los brazos y las piernas tiene efectos negativos.

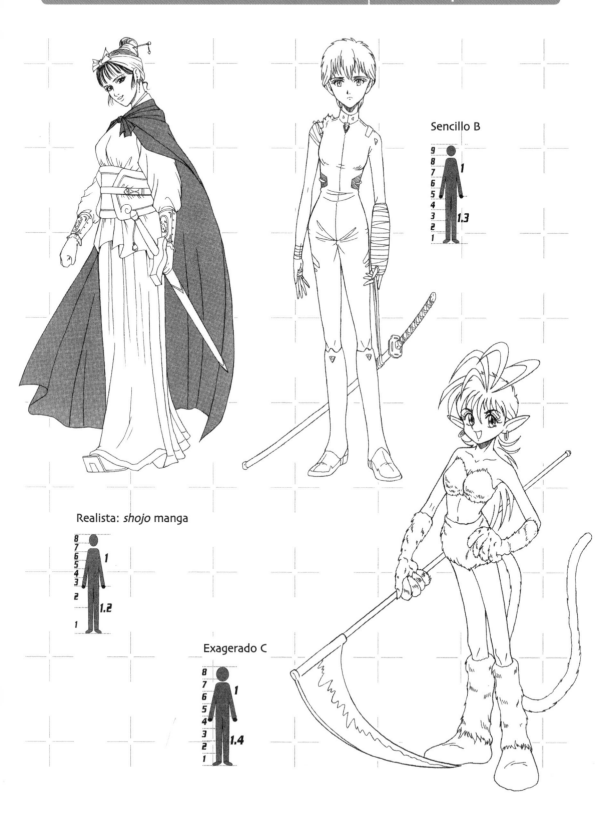

Sencillo B

Realista: *shojo* manga

Exagerado C

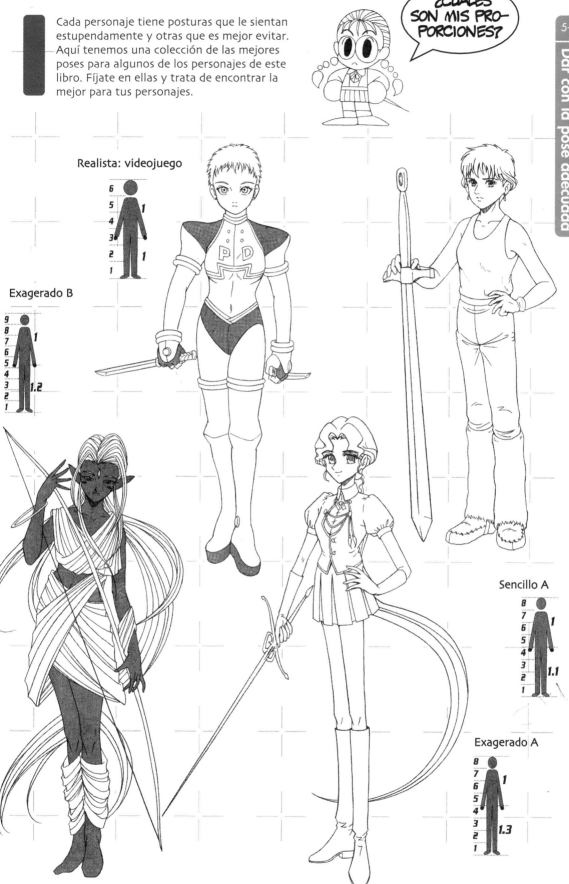

Cada personaje tiene posturas que le sientan estupendamente y otras que es mejor evitar. Aquí tenemos una colección de las mejores poses para algunos de los personajes de este libro. Fíjate en ellas y trata de encontrar la mejor para tus personajes.

¿CUÁLES SON MIS PRO-PORCIONES?

Realista: videojuego

Exagerado B

Sencillo A

Exagerado A

A continuación, facilitamos una lista de términos específicos y abreviaturas utilizados en este libro.

Bishojo:	Chica joven y guapa.
Bishonen:	Chico joven y atractivo.
Género *Gakuen:*	Género de las historias de colegiales.
Manga *shojo:*	Cómic para chicas.
OVA:	*Original Video Anime* (vídeo de animación).
SD:	Super Deformed (ridiculización de un personaje mediante la reducción de sus proporciones a tres cabezas.
Shojo:	Chica joven.
Takarazuka:	Compañía teatral japonesa integrada exclusivamente por mujeres.